Golden Retriever

Nona Kilgore Bauer

Dibujos por: Yolyanko el Habanero

HISPANO EUROPEA

Título de la edición original:
Golden Retriever.

Es propiedad, 2006
© **Aqualia 03, S.L.**

© de la traducción: **Zoila Portuondo.**

© Fotografías: **Isabelle Français**
y **Bernd Brinkmann.**

© Dibujos: **Yolyanko el Habanero.**

© de la edición en castellano, 2006:
Editorial Hispano Europea, S. A.
Primer de Maig, 21 - Pol. Ind. Gran Via Sud
08908 L'Hospitalet - Barcelona, España.
E-mail: hispanoeuropea●hispanoeuropea.com

Depósito Legal: B. 45798-2006.

ISBN-10: 84-255-1692-7.
ISBN-13: 978-84-255-1692-4.

Consulte nuestra web:
www.hispanoeuropea.com

IMPRESO EN ESPAÑA   PRINTED IN SPAIN

LIMPERGRAF, S. L. - Mogoda, 29-31 (Pol. Ind. Can Salvatella) - 08210 Barberà del Vallès

de mala calidad tendrá problemas de salud y de temperamento capaces de vaciarle el bolsillo y quebrarle el corazón. Así que haga la parte que le toca antes de visitar las camadas. Confeccione una lista de preguntas para el criador. Deje la billetera y a los niños en casa para eludir la tentación de comprar un cachorro mal criado, pero aun así irresistible.

Todo buen criador comienza temprano el proceso de sociabilización de la camada, dando tiempo a los cachorros para que conozcan el mundo exterior una vez que han crecido lo suficiente.

Los debutantes deben siempre preguntar por el pedigree y los documentos de registro. Aunque un registro en la sociedad canina no es garantía de calidad, es un modesto paso en la dirección correcta. Y si aspira a exponer su cachorro o a inscribirlo en competencias autorizadas, es necesario que esté registrado en la misma.

El pedigree debe incluir de tres a cinco generaciones de antepasados. Pregunte por los títulos que en él aparezcan. Ellos indican los logros obtenidos en determinadas competencias caninas por el perro que los ostenta, lo que demuestra los méritos de los antepasados del cachorro en cuestión y refuerza la credibilidad del criador. Usted debería

¿Cómo resistirse? Antes de ir a visitar cachorros, haga su parte en cuanto a la selección del criador y elija uno respetable; de lo contrario, es casi seguro que caerá rendido ante la iprimera linda bola de peluche dorado que encuentre!

ver las siglas «Ch» (de *champion*) en el pedigree de un cachorro de exposición, porque indican que tiene ancestros campeones. Si el cachorro es de trabajo, entonces debería encontrar las siglas «AFC» *(Amateur Field Champion)* o «MH» *(Master Hunter)*. (En español sería CCA: Campeón de Campo Amateur, y MC: Maestro Cazador). Si bien es cierto que el pedigree, como el registro, no es garantía de habilidades, salud o buen temperamento, continúa siendo un buen punto de partida cuando está bien construido.

No debe haber pagos extra, ya sea por el pedigree o por los documentos de registro. La sociedad canina regula que los documentos no se pagan aparte, así que cualquier criador que le pida dinero por ellos no está siendo escrupuloso.

¿Por qué este cruzamiento?

Pregunte al criador por qué planeó esta camada. Un criador consciente planifica una camada de Golden por razones específicas y debe ser capaz de explicar las razones de carácter genético que hay detrás de cada cruzamiento, así como lo que espera lograr con él. Tal criador nunca reproduciría a sus perros porque «su Golden es tan dulce y/o bello, y el perro del vecino es tan bonito, que de seguro tendrán unos cachorros preciosos» o porque «sus hijos necesitan vivir la experiencia del nacimiento», y cosas por el estilo. El hecho de amar apasionadamente a su perro no califica a nadie para reproducirlo inteligentemente ni para criar correctamente una camada de cachorros de Golden.

Los criadores responsables, por cierto, no crían varias razas diferentes de perros ni producen numerosas camadas al año. Lo usual es una o dos camadas.

Tópicos de salud

Pregunte por la salud del cachorro, la de sus padres, y por los certificados que les declaran libres de enfermedades hereditarias. Los Golden son propensos a la displasia de cadera y de codo, así como a la osteocondritis seca (siglas en inglés: OCD), tres enfermedades hereditarias de las articulaciones que pueden lisiarlos. Pregunte al criador si los progenitores tienen certificados veterinarios emitidos por la OFA (siglas en inglés de: Fundación Ortopédica para los Animales, un registro nacional de displasia canina), diagnosticando que están libres de displasia de cadera y codo. ¿Un oftalmólogo veterinario autorizado les ha examinado recientemente los ojos para descartar la atrofia progresiva de retina (siglas en inglés: PRA) y las cataratas? Los certificados oculares pueden registrarse en la Fundación del Ojo Canino (*Canine Eye Registry Foundation,* siglas en inglés: CERF). Los buenos criadores le proporcionarán con gusto todos estos documentos.

Otros problemas de salud conocidos en el Golden son la epilepsia, los desórdenes de la tiroides y las alergias. Usted mismo puede buscar información sobre estos y otros padecimientos propios de los Golden dirigiéndose al club matriz o especializado, el Club del Golden Retriever de su país, la FCI y en los sitios de la red que se refieren a la salud canina.

Los buenos cachorros provienen de la buena crianza. Con el fin de transmitir los mejores rasgos de la raza de una generación a otra, los criadores serios tienen como meta criar sólo con perros de óptima calidad, cuyos certificados de salud garanticen que están libres de enfermedades.

Compromiso con la raza

Los criadores experimentados de Golden suelen participar con sus perros en algún tipo de actividad canina, tal vez en exposiciones de conformación, compitiendo en pruebas de caza, competencias de campo, o entrenándolos para otros eventos de trabajo o actividades relacionadas con perros. Los Golden de estos criadores pueden haber conquistado determinados títulos, y ello deja en claro su experiencia y compromiso con la raza.

Los criadores consagrados suelen pertenecer al Club del

Golden Retriever del país y/o al club especializado o asociación canina locales. Tal afiliación con otros criadores y cinólogos experimentados amplía su conocimiento sobre la raza y sus características, lo que realza aún más su propia credibilidad.

Más sobre el criador

El criador también le hará preguntas… sobre su experiencia con los perros, los que ha te-

tesoros un hogar apropiado y amoroso. Sospeche de cualquier criador que consienta en venderle un cachorro de Golden sin hacer preguntas ni entrevistas. Tal indiferencia delata su falta de preocupación acerca de sus cachorros, y pone en dudas su ética y programa de cría.

Un buen criador también le pondrá al tanto de las dificultades que puede encontrar con el Golden Retriever. No hay raza

No todos los Golden conseguirán llegar a disputar el título de Mejor de Raza en la exposición del Westminster Kennel Club, pero los criadores dedicados sí que participan en algún área de la cinofilia.

nido, de qué razas eran y qué fue de ellos. Deseará saber cómo vive, cómo es su casa, si tiene patio, niños, otros cachorros, etc., cuáles son sus objetivos con este nuevo perro y cómo piensa criarlo. La principal preocupación del criador es el futuro de sus cachorros y saber si usted y su familia son los dueños capaces de proporcionar a uno de sus pequeños

canina perfecta ni todas son adecuadas para todos los temperamentos y estilos de vida humanos. Prepárese a sopesar lo bueno y malo del Golden para que su decisión sea sabia.

Contrato de venta

La mayoría de los criadores serios tienen un contrato de venta de cachorros que incluye garantías de salud específicas y acuerdos de devolución razonables. El criador debe aceptar que le devuelvan un cachorro si las cosas no funcionan. También debe estar dispuesto, incluso ansioso, por comprobar su progreso una vez que haya dejado su casa, y estará dispuesto a ayudar al nuevo dueño cuando tenga preguntas que hacerle o confronte problemas con el cachorro.

Catálogo de exenciones indefinidas

Muchos criadores inscriben a los cachorros que tienen calidad de mascotas en el Libro de Exenciones Indefinidas de la sociedad canina (siglas en inglés: ILP, de *Indefinite Listing Privilege*). Con ello están de hecho registrándolos en la sociedad y permitiéndoles participar en ciertas competencias caninas (no en conformación), pero impiden que se pueda registrar su futura descendencia. El propósito del registro limitado es prevenir la cría indiscriminada de Golden con calidad de mascotas. El criador, y sólo él, puede cancelar el ILP si el perro, una vez adulto, llega a convertirse en un animal con calidad para la reproducción.

Referencias

Si tiene cualquier duda, pida referencias al criador… y compruébelas. Es improbable que él le facilite una lista de clientes insatisfechos, pero telefonear a otros dueños puede hacer que se sienta más cómodo al tratar con él. Por supuesto que una buena referencia en sí misma es que el criador sea miembro del Club de la Raza nacional o local. Los criadores miembros pueden encontrarse en una lista que aparece en el sitio web del club.

Precio

Espere tener que pagar un buen precio por todas estas cualidades del criador, no importa si se trata de un Golden con calidad de mascota que servirá como perro de compañía, o si se trata de uno con potencial para exposición o trabajo. Los buenos criadores evalúan a sus cachorros y aquellos que tienen poco o ningún potencial para exposiciones son considerados «con calidad de mascotas» y se venden más baratos que los que tienen «calidad para exposición». Aunque esto es absolutamente normal, tenga presente que los «descuentos» o «gangas» no son tales. De hecho, el cachorro vendido con descuento es en realidad un desastre potencial con muy pocas probabilidades de convertirse en un adulto estable y sano. Tales «gangas» podrían costarle a la larga una fortuna en gastos veterinarios y angustia, que no puede medirse en euros.

Observe cómo se relacionan todos los cachorros con su madre. Su actitud afectuosa confirmará que ella los está criando bien.

Dónde buscar y dónde no buscar

Entonces ¿cómo encontrar un criador responsable en quien confiar? Cumpliendo con su parte de la tarea antes de empezar a visitar cachorros. Solicite al Club de la Raza refe-

rencias sobre los criadores de su país o zona. Ambos sitios web ofrecen también vínculos con los criadores y clubes de Golden regionales del resto del país. Investigue, llame y pregunte sobre las camadas. Cualquier información que saque de estas conversaciones le permitirá ser un comprador más inteligente cuando se enfrente a los cachorros.

Otra magnífica oportunidad es dedicar un día a visitar una exposición de perros o cualquier otro evento canino donde pueda conocer criadores y presentadores de Golden, y familiarizarse con sus perros. La mayoría de los amantes del Golden se sentirán muy contentos de mostrarle sus ejemplares y alardear de sus logros. Además, si ve algún Golden que le guste especialmente, pregunte al dueño donde lo adquirió.

¿Qué debe evitar en la búsqueda de su cachorro de Golden? Leer los anuncios de venta de cachorros que aparecen en el periódico. Los criadores de prestigio casi nunca se anuncian en los periódicos. Son muy celosos acerca de los dueños potenciales de sus cachorros y por eso no confían en los anuncios masivos para encontrar a las personas adecuadas. Ellos mismos venden sus cachorros y no los confían a ningún intermediario (que no sea un criador amigo o colega). Estos criadores dependen de las referencias de amigos del mundo del Golden y de clientes previos, y sólo le venden a aquellos nuevos dueños que aprueben el «interrogatorio». El buen criador tiene una extensa «familia Golden». Muy a menudo, los criadores consagrados se quedan con los cachorros más allá de las usuales ocho semanas hasta que aparecen los dueños adecuados.

Tal vez el segundo ingrediente más importante en su búsqueda del criador sea la paciencia. Probablemente no encontrará al criador o la camada idóneos en la primera ronda. Los buenos criadores tienen a menudo listas de espera, pero por un buen cachorro de Golden vale la pena esperar.

SELECCIÓN DEL CRIADOR

Resumen

■ Busque un criador experimentado, ético y dedicado a los mejores intereses de la raza.

■ Los pedigrees de la camada deben mostrar la calidad de los antecesores; el criador, por su parte, debe tener fuertes razones para haber planificado este cruzamiento en particular (así como cualquier otro).

■ Prepare una lista de preguntas para el criador y, de igual modo, espere que él le entreviste. Lo hace para asegurarse de que usted es el dueño adecuado.

■ Averigüe sobre los certificados de salud de los padres. También debe preguntar por la documentación apropiada.

■ Ser miembro del Club de la Raza es en sí una buena referencia. La participación activa en el club especializado y en las actividades relacionadas con la raza incrementa la credibilidad del criador.

Elegir el cachorro adecuado

Los cimientos de un futuro feliz con su Golden es escoger el cachorro apropiado, y en este sentido, un criador de prestigio es el elemento clave.

Su experiencia con los Golden será de mucho valor a la hora de ayudarle a seleccionar su cachorro. Un buen criador ha acumulado experiencia con la raza, entiende de su salud y genética, y selecciona cuidadosamente su plantel de cría. Además, evalúa a sus cachorros y ayuda a sus clientes a encontrar el que mejor se adapta a sus necesidades y estilo de vida.

Puede que tenga que preparar su maleta, porque el cachorro perfecto rara vez se encuentra a la vuelta de la esquina. Dispóngase a viajar para visitar cualquier camada que esté considerando y, si es posible, vaya a ver más de una. Se sorprenderá al constatar la diferencia entre unas y otras. Sus esfuerzos le prepararán para una compra más sabia y es casi seguro que terminará con un mejor cachorro.

¡Sorpresa! ¡Mire quién está atisbando, listo para robarle su corazón!

La visita al cachorro entraña mucho más que abrazos y besos. Se parece más a su última entrevista de trabajo. Al estar buscando un nuevo miembro para su familia, verificará a los aspirantes… o sea, los cachorros, sus padres y el criador, así como el entorno donde los primeros se han criado.

Es evidente que esta sonriente mamá Golden ha transmitido su naturaleza alegre y amorosa a su pequeñín.

El lugar y la manera en que se cría una camada de cachorros es muy importante para que prontamente se conviertan en animales confiados y sociables. La camada debe estar dentro, ya sea en la casa o en una perrera adjunta, no aislada en un sótano, garaje o criadero externo. Algunos criadores experimentados tienen a veces, para sus camadas, instalaciones de cría independientes. Usted sabrá que ha encontrado uno de ellos cuando vea las paredes llenas de cintas azules y docenas de títulos de campeonato.

¿Cómo escogerá a su Golden dentro de un grupo de preciosos cachorros?

Ya sea que se críen en la cocina o en una perrera, todos los cachorros de Golden necesitan ser sociabilizados diariamente con personas y con actividades humanas. Mientras más contacto tengan con los sonidos y panoramas de la casa entre las tres o cuatro semanas y las ocho, más fácil se adaptarán a su futura familia humana.

Durante su visita, revise a los cachorros y el área donde viven; compruebe que están aseados y no muestran signos de enfermedad o mala salud. Deben estar razonablemente limpios (hay que comprender que los cachorros orinan continuamente), alertas, llenos de energía y con los ojos brillantes. Los cachorros sanos tienen el pelaje espeso y pulcro, están bien proporcionados, y cuando los toque, los sentirá musculosos y sólidos, sin que estén gordos ni tener vientres protuberantes. Observe si tienen costras o secreciones en ojos, nariz u orejas. Fíjese si tosen, resoplan o aspiran mucosidades. Verifique cualquier evidencia de diarreas, incluso de diarreas sanguinolentas.

Si es posible, trate de conocer a la madre y al padre de los cachorros. En muchos casos no encontrará al padre en el criadero pero el criador debe tener, al menos, fotos y un resumen de sus características y logros. Es normal que algunas perras sean algo protectoras hacia sus crías, pero cualquier conducta sumamente agresiva es inaceptable. Los Golden Retrievers se encuentran entre las criaturas más amistosas del mundo, por eso aquel que se escurra y aleje ante un amistoso acercamiento será muy raro. El temperamento se hereda, y si uno o ambos padres son agresivos o tímidos, es probable que alguno de los cachorros herede esas características atípicas e indeseables.

También es normal que una perra recién parida tenga el pelaje más bien escaso o que esté delgada después de semanas amamantando hambrientos cachorros. Sin embargo, existe una diferencia evidente entre la normal apariencia puerperal y los signos de abandono o salud deteriorada.

Observe cómo se relacionan los cachorros entre sí y con el entorno, especialmente cómo responden a las personas. Deben ser activos y sociables. En la mayor parte de las camadas de Golden habrá algunos cachorros más desenvueltos que otros, pero incluso uno tranquilo que esté correctamente sociabilizado no debe mostrarse tímido o asustado ni encogerse ante una voz o mano amiga que se extiende.

El criador debe ser honesto al tratar sobre la diferencia entre las personalidades de los cachorros. Aunque la mayoría de los criadores hacen algún tipo de prueba de temperamento, no hay que olvidar que han empleado la mayor parte de su tiempo tocándolos y limpiándolos, por eso conocen las sutiles diferencias que hay en la personalidad de cada uno. Las observaciones del criador serán una valiosa ayuda a la hora de seleccionar el cachorro de Golden adecuado para usted, su estilo de vida y proyectos con él.

Converse con el criador acerca de sus planes, aclárele si quiere el cachorro para exposiciones de conformación, para cazar o para competir en actividades deportivas u otras relacionadas con el Golden. Algunos cachorros son más prometedores que otros y él puede ayudarle a seleccionar el que mejor se ajuste a sus objetivos a largo plazo. Si tiene intenciones concretas con las exposiciones de conformación o las pruebas de campo, ellas también afectarán su elección del criador. Los criadores de perros de exposición no le venderán un cachorro prometiéndole que se convertirá en

Los cachorros aprenden las leyes del mundo canino a través del juego y las reacciones de sus hermanos ante su conducta.

su primer Campeón de Campo; del mismo modo, los criadores de perros de caza no pueden prometerle que su cachorro ganará un día en la exposición del Westminster Kennel Club.

También habrá que considerar el sexo. ¿Prefiere un macho o una hembra? ¿Cuál es el adecuado para usted? Ambos son amorosos y leales, y las diferencias obedecen más a las personalidades individuales que al género. La hembra Golden adulta es una criatura amable con la cual es fácil convivir, pero también puede ser un poquito más irritable, en dependencia de sus antojos y picos hormonales.

El macho suele ser cuatro centímetros más alto que la hembra, tiene huesos más pesados y pesa de 30 a 35 kg. Aunque los machos tienden a ser de temperamento más equilibrado que las hembras, pueden ser más toscos y efusivos durante la adolescencia, lo que puede resultar problemático en un perro grande y lleno de energía. Un macho no adiestrado puede llegar a ser dominante con la gente y con otros perros. Si desea que su cachorro de Golden le respete como líder, será necesario proporcionarle una sólida formación en Obediencia.

Los machos intactos tienden a ser más territoriales, especialmente ante otros machos. Los cachorros tienen que tener sus dos testículos descendidos dentro del escroto. Un perro con testículos no descendidos será una bella mascota pero no es elegible para competir en exposiciones de conformación. El proceso de esterilización, reco-

mendado para todos los perros mascotas, empareja el terreno y elimina la mayoría de las diferencias relacionadas con el género, además de alargar la vida de su Golden.

Cuando los cachorros están listos para dejar la casa del criador, ya deben haber sido desparasitados por lo menos en una ocasión, deben tener puestas sus primeras vacunas, y disponer de certificados veterinarios que confirmen su buena salud, en el momento en que fueron examinados. Algunos criadores de Golden consideran que separar las vacunas en las primeras inmunizaciones de los cachorros reduce la posibilidad de reacciones negativas frente a los varios componentes de las que son polivalentes. Pregunte a su criador y a su veterinario qué le recomiendan al respecto.

El criador debe decirle qué ha estado comiendo el cachorro, cuándo y cuánto. Algunos criadores dan al nuevo dueño un poco de comida para que la mezcle con la suya durante los primeros días. La mayoría de ellos entrega a sus clientes, además, un dossier con una copia del certificado de salud, el pedigree y los documentos de registro del cachorro, así como copias de los certificados de salud de los padres y el contrato de venta –si lo tienen. Muchos proporcionan literatura sobre la raza y sobre cómo criar correctamente a los cachorros de Golden Retriever. Los criadores consagrados saben que cuánto más sepan los nuevos dueños, mejor vida les espera a sus pre-

Todos en fila y a cuál más gracioso, pero recuerde que usted no puede escoger basándose sólo en la apariencia. Detrás de cada pelotita de lana «dorada» yace una personalidad única en espera de encontrar su pareja perfecta.

ciosos cachorros de Golden. Su objetivo debería ser encontrar uno de estos criadores.

ELEGIR EL CACHORRO ADECUADO

Resumen

■ Visitar varias camadas proporciona una rápida educación en cuanto a la selección de cachorros. Cuantas más camadas vea, más aprenderá.

■ Los cachorros deben criarse en áreas limpias, con muchas oportunidades para la socialización y el contacto con las personas.

■ Busque salud y pureza, física y temperamental, en la camada completa. Si es posible conozca a ambos padres, porque muchas cosas se heredan.

■ ¿Superactivo o más suave? ¿Macho o hembra? ¿Perro como mascota, para cacería o para exposición? El criador puede guiarle a conseguir el compañero perfecto porque conoce muy bien la personalidad de cada cachorro.

Llegada a casa
del cachorro

Llegó la hora. ¿Está seguro de estar listo para traer a casa esa bolita de lana?

No se preocupe. Un poco de planificación hará que la mudanza del cachorro al nuevo hogar sea segura y feliz. Adquiera los accesorios necesarios y revise completamente la casa para cerciorarse de que no contiene nada peligroso para el cachorro (¡y viceversa!). Acomode todo antes de traerlo a casa. Créame, cuando llegue no va a tener mucho tiempo de hacerlo.

La compra de artículos para el cachorro es la parte divertida del asunto, pero cierre la billetera. Los artículos para cachorros, especialmente los no esenciales, suelen ser tan graciosos que cuesta trabajo resistirse a ellos, así que puede vaciar su cartera en una sola compra. Comience con los artículos básicos.

Recipientes para el agua y la comida

Necesitará dos platos, uno para la comida y otro para el

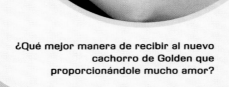

¿Qué mejor manera de recibir al nuevo cachorro de Golden que proporcionándole mucho amor?

agua. Los de acero inoxidable son los mejores porque son ligeros, a prueba de mordidas y fáciles de lavar. Es conveniente tomar medidas con el recipiente del agua porque a la mayoría de los cachorros les encanta chapotear en él, y el Golden es el epítome del amor por el agua. Puede que desee un juego adicional de recipientes para el exterior.

Elija recipientes resistentes para su Golden Retriever, de plástico duro o de acero inoxidable.

Comida

Su cachorro de Golden debe alimentarse con una buena comida apropiada para su edad y raza. Hoy en día, la mayoría de las marcas productoras de buenas comidas caninas ofrecen fórmulas específicas para cada una de las razas, fórmulas destinadas a satisfacer las necesidades nutritivas de las razas pequeñas, medianas y grandes (su Golden) en las diferentes etapas de sus vidas. Durante el primer año de vida, el perro debe comer una dieta para cachorros de razas grandes, formulada para promover un sano crecimiento. Después podrá cambiar para una de mantenimiento destinada a perros adultos de razas grandes.Una dieta de alta calidad

¡No es a esto a lo que nos referimos cuando hablamos de comida para cachorros! No olvide que junto con el cachorro vienen sus inevitables travesuras.

en la etapa de cachorro y luego como adulto, beneficiará el primer periodo de crecimiento del Golden, y su salud a largo plazo. Si quiere recomendaciones basadas en la experiencia, hable del asunto con el criador y el veterinario antes de comprar la comida del cachorro. Puede que desee mantenerle la comida que le había estado dando el criador.

Collares y chapas de identidad

Su cachorro de Golden debe llevar un collar ajustable con posibilidades de agrandarse, para que le sirva a medida que vaya creciendo. Los collares ajustables de nylon ligero son los mejores para los cachorros y perros adultos. Póngaselo tan pronto como lo traiga a casa para que se acostumbre a usarlo. La chapa de identidad debe llevar su número de teléfono, nombre y dirección, pero no el nombre del perro porque, en ese caso, cualquier persona extraña podría identificarlo y llamarlo. Con la intención de acelerar la devolución de sus perros, en caso de pérdida o robo, algunos dueños incluyen una advertencia que dice: «El perro necesita medicamentos». Utilice

una argolla redonda para adjuntar la chapa de identidad porque las que tienen forma de «S» se enganchan en las alfombras y se sueltan con facilidad.

Hoy en día el gran desarrollo tecnológico alcanza incluso a los collares para perros. Algunos vienen equipados con bípers y dispositivos de rastreo. Las más avanzadas técnicas de identificación de mascotas utilizan el sistema de posición global, que se ajusta en el interior del collar o de la chapa de identidad. Cuando el perro sale del perímetro casero previamente programado, el dispositivo envía un mensaje directamente al teléfono del dueño o a su dirección de correo electrónico.

Los collares de estrangulación y los de púas son para el entrenamiento, por lo que sólo deben usarse durante las sesiones de trabajo. Bajo ningún concepto deben dejárseles puestos a los cachorros de Golden que no hayan cumplido los cuatro meses. Tampoco use cualquier clase de collar que le tire o le dañe el pelo.

Correas

Para su propia conveniencia y por la seguridad de su cachorro, debe tener en casa por lo menos dos tipos diferentes de correa. Una delgada, de piel, de dos metros de longitud, es la mejor para los paseos, para el kindergarten de cachorros, otras clases de obediencia y el adiestramiento con correa.

El otro tipo de correa es la extensible. Ésta puede extenderse y desenrollarse o enrollarse dentro de un estuche manual, según se apriete un botón. Es la herramienta ideal para ejercitar cachorros y perros adultos, por lo que cada Golden debe tener una para cuando haya aprendido a comportarse bien con la correa normal. Las correas extensibles pueden ser de diferentes medidas (desde dos metros y medio hasta siete u ocho) y unas más fuertes que otras, en relación con el tamaño de la raza. Mientras más larga, mejor, porque permitirá que su perro corra y olfatee todo lo que le plazca lejos de usted. Son especialmente manejables para ejercitar al cachorro en áreas no cercadas o cuando se viaja con el perro.

El lecho

Los lechos para perros son muy divertidos. Los hay de todo tipo, desde los pequeños y baratos hasta los elegantes, con cabecera, para las razas más aristocráticas. No obstante, no se exceda en este punto. Es mejor ahorrarse la compra de una suntuosa cama para cuando el Golden sea mayor y menos propenso a hacerla pedazos u orinarse en ella. Para el cachorro, lo mejor es una toalla grande, un cobertor o una manta fácilmente lavable (probablemente tendrá que lavarla a menudo).

El guardarropas del Golden debe contar siempre con una correa fuerte y un collar que lleve adjunta la chapita de identidad.

Jaulas y barreras

Éstos son los artículos más importantes en la vida de un cachorro. La jaula no sólo es su lugar favorito, donde se siente seguro, sino el instrumento más valioso con que cuenta el dueño para enseñarle la educación casera básica. Hay tres tipos de jaulas: las de alambre, las de malla, y las más conocidas: las de plás-

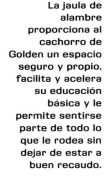

La jaula de alambre proporciona al cachorro de Golden un espacio seguro y propio, facilita y acelera su educación básica y le permite sentirse parte de todo lo que le rodea sin dejar de estar a buen recaudo.

tico, que se usan para los viajes aéreos. Las de alambre y las de malla ofrecen mejor ventilación al perro y algunas pueden plegarse para llevarlas en forma de maleta. Las de malla pueden ser un riesgo con el joven Golden, tan dado a cavar y morder.

Cualquiera que sea la jaula que seleccione cerciórese de que sea para perros adultos porque si elige una pequeña, o para cachorros, su Golden pronto no cabrá en ella. Puede encontrar jaulas en la mayoría de las tiendas para mascotas y en los catálogos de artículos para mascotas. Puede calcular el tamaño que debe tener la jaula para el perro adulto añadiendo entre 15 y 30 cm a la altura a la cruz que usted espera llegue a medir su perro.

Las barreras para bebés sólidas y bien emplazadas protegerán su casa de las inevitables travesuras del cachorro, estimu-

larán en él una conducta correcta, y le mantendrán a usted cuerdo. Es aconsejable confinarlo a una habitación o espacio enlosado, no alfombrado, fácil de limpiar y con accesibilidad a la puerta de salida al área exterior donde hace sus necesidades. Confinado a un área segura, donde no pueda causar destrozos ni estragos, el cachorro pronto aprenderá a hacer sus necesidades en el lugar adecuado, a mordisquear sólo los juguetes apropiados y no los muebles valiosos del amo y a ahorrarse innecesarios correctivos por sus naturales accidentes.

Pero, confinado no quiere decir no supervisado. Los cachorros de Golden se aburren con facilidad y suelen entretenerse mordiendo cosas como puertas y tabiques. Si no va a estar vigilando al cachorro, use la jaula.

Utensilios de acicalado

La herramienta de acicalado básica será un cepillo de cerdas suaves; en el caso del cachorro, uno cualquiera. Luego, para el arreglo sistemático, va a necesitar una rasqueta, un peine metálico llamado «peine

de Greyhound» (que tiene tanto dientes juntos como dientes separados), un rastrillo antinudos y un peine de muda; estos dos últimos resultan maravillosos en los periodos de gran muda. Pregunte al criador qué le sugiere en cuanto al acicalado.

Acostumbre al cachorro desde pequeño al arreglo, utilizando un cepillo de cerdas suaves para que aprenda a disfrutar del proceso. Eso también favorece que se acostumbre a que le toquen y revisen con las manos, lo que será de gran valor a la hora de limpiarle los dientes y las orejas, y cortarle las uñas.

Juguetes

A los cachorros, especialmente aquellos de razas bucales como el Golden, les encantan todos los juguetes de peluche que puedan coger y llevar de un lado para otro. Muchos se acurrucan con sus juguetes peludos como lo harían con sus hermanos. Al final, la mayoría destruirá todos los juguetes suaves o de peluche, entonces habrá llegado la hora de arrojarlos a la basura y no comprarlos de nuevo.

Está de más decir que, en el caso de los Golden, son un im-

Poco después de traer el cachorro a casa, inícielo en tareas sencillas como la de dar la patita. De esa manera, no se sorprenderá cuando llegue el momento de cortarle las uñas.

perativo los juguetes que el cachorro pueda cobrar. ¡Atraparlos y transportarlos son las dos cosas que más le gustarán! Si aspira a enseñar a su Golden a morder determinados objetos para mantenerlo alejado de sus zapatos y mobiliario, debe adquirir juguetes que pueda morder sin causarse ningún daño. Los huesos duros esterilizados son excelentes artículos para morder, y los hay de varios tamaños en proporción con la talla del perro. Las botellas de leche vacías siempre resultan favoritas, y lo mejor de todo es que a los consumidores de leche ¡les salen gratis! No duran mucho, así que elimínelas tan pronto como los afilados dientes del cachorro las rompan.

Los zapatos, las medias y las pantuflas están prohibidos, porque ni el cachorro más listo puede distinguir cuál de estos objetos es el suyo (el que le han dado para jugar) y cuál es el de su dueño. Evite también los juguetes de goma suaves y fáciles de despachurrar, los que tienen ojos de botón, o pitos, porque puede tragárselos en un abrir y cerrar de ojos. He aquí una regla importante en relación con los juguetes del cachorro: ofrézcale sólo dos o tres juguetes en cada ocasión. Si le pone frente a una «mesa sueca» de juguetes, pronto se aburrirá de todos y buscará más.

Sociabilización

Este procedimiento pone fuera de peligro al cachorro, pero no a la casa. La sociabilización del cachorro es la póliza de seguros para que su Golden disfrute una madurez alegre y estable, y constituye, sin lugar a dudas, el factor más importante en la presentación del cachorro al mundo humano. Aunque los Golden son por naturaleza sociables y gregarios, aun así es muy importante ponerlos en contacto con extraños y con situaciones nuevas desde temprana edad. Se ha comprobado que los cachorros no sociabilizados crecen retraídos e inseguros, temerosos de la gente, de los niños y de los lugares que les son ajenos. Muchos se convierten en mordedores cobardes, o se vuelven agresivos con los otros perros, con los extraños, e, incluso, con los miembros de su familia. Tales perros casi nunca pueden ser rehabilitados y suelen terminar abandonados en refugios caninos donde, a la larga, son sacrificados. La sociabilización del cachorro sienta las bases para que llegue a convertirse en un perro de buena conducta, lo que evita las conductas destructivas y peligrosas que lo conducen a esos tristes lugares.

El principal periodo de sociabilización ocurre durante las primeras 20 semanas de vida del cachorro. Justo en el momento en que deja la seguridad de su madre y hermanos, entre las sie-

Todo lo que un cachorro de Golden pueda alcanzar se lo llevará a la boca. En el caso del Golden Retriever, que siempre lleva algo en la boca, hay que extremar las medidas de precaución y poner todos los objetos peligrosos donde no los pueda alcanzar.

Después de comprar los artículos para el cachorro, debe despojar la casa de posibles peligros. Los cachorros de Golden Retriever son criaturas naturalmente curiosas, dadas a investigar todo lo nuevo; buscan y destruyen sólo por divertirse. La moraleja es no dejar nunca que el cachorro deambule por la casa sin supervisión. Revise su hogar para que pueda detectar los siguientes riesgos:

Botes de basura y cubos con pañales
Son imanes naturales para los cachorros (saben donde está ¡todo lo que huele!)

Frascos de medicina, materiales de limpieza, venenos contra cucarachas y roedores
Ciérrelos bien. Usted se sorprendería de saber lo que un cachorro decidido puede encontrar.

Cables eléctricos
Desconecte todos los que pueda y asegúrese de que los demás sean inaccesibles. Las lesiones por morder cables eléctricos son muy frecuentes en los perros jóvenes.

Hilo dental, estambre, agujas e hilo, y otros materiales filamentosos
Los cachorros que andan olfateando a nivel del suelo encontrarán y tragarán el más diminuto de los objetos y terminarán en una sala de cirugía. La mayoría de los veterinarios podría contarle interesantes anécdotas acerca de los materiales que han extraído quirúrgicamente de los intestinos de los cachorros.

Limpiadores de retretes
Si los tiene, arrójelos a la basura ahora mismo. Todos los perros nacen con un «sonar para retretes» y descubren enseguida que en ellos el agua está siempre fría.

Garaje
¡Tenga cuidado con los anticongelantes! Son extremadamente tóxicos para los perros y, si unas pocas gotas matan a un Golden Retriever adulto, imagínese a un cachorro. Cierre el garaje y coloque todos los otros productos químicos fuera de su alcance. Los fertilizantes también pueden ser tóxicos para los perros.

Medias, ropa interior, zapatos y pantuflas
Colóquelas lejos del suelo y cierre las puertas del guardarropa. Todas estas cosas les encantan a los cachorros porque huelen ¡diez veces como usted!

te y las diez semanas, comienza el trabajo del dueño. Empiece por dejarlo que se adapte a la nueva casa durante uno o dos días, entonces comience a ponerlo en contacto, gradualmente, con los sonidos y las vistas de su nuevo mundo humano. En esta edad, es esencial la interacción frecuente con los niños, con las personas no conocidas y con los otros perros. Visite lugares nuevos (donde los perros sean bienvenidos, claro) como parques o, incluso, el parking de la tienda local donde se reúne mucha gente. Propóngase como meta para los dos próximos meses conocer dos nuevos lugares cada semana. Busque la manera de que las nuevas situaciones sean positivas y alegres porque así su perro desarrollará una actitud favorable ante encuentros futuros.

«Positivo» es especialmente importante cuando vaya a la consulta del veterinario. Usted no desea que su perro tiemble de miedo cada vez que ponga una pata en el consultorio. Cerciórese de que su veterinario sea un verdadero amante de los perros, además de buen médico.

Su cachorro necesitará también estar en contacto –supervisado– con los niños. Los cachorros de todas las razas tienden a considerar a la gente menuda como hermanos de camada e intentarán ponerles una pata encima (actitud de dominio). Como se trata de un perro criado para cazar y trasladar presas, el cachorro de Golden es muy bucal y morderá los dedos de las manos y los pies de cualquier niño. Los adultos de la familia deben supervisar y enseñar al cachorro a no mordisquear ni saltar sobre los chicos.

Aunque los Golden son en general buenos con los niños, también son perros alegres y saltarines que pueden, sin intención alguna, empujar a un niño pequeño durante el juego. Niños y perros deben aprender cómo jugar apropiadamente, y a los chicos hay que enseñarles a to-

En medio de la emoción de llegar a una casa nueva llena de gente desconocida, su cachorro de Golden va a necesitar un descanso.

car y tomar al cachorro con cuidado y a respetar su privacidad. Enseñe a sus hijos a no obligar al cachorro para que se comporte bulliciosamente y se haga merecedor entonces de innecesarios correctivos.

Lleve a su joven Golden a la escuela para cachorros. Algunos cursillos aceptan cachorros entre diez y doce semanas de edad, si tienen puesta su primera vacuna. Mientras más joven es el cachorro más fácil es modelar en él patrones de buena conducta. Un buen cursillo para cachorros enseña la etiqueta social canina correcta en lugar de rígidas habilidades de obediencia. Su cachorro conocerá y jugará con perros jóvenes de otras razas, y usted aprenderá los recursos pedagógicos positivos que tanto necesita para adiestrar a su cachorro. Los cursillos para cachorros son importantes tanto para los novatos como para los experimentados. Si es usted un inteligente dueño de Golden, no se quedará ahí sino que continuará con los cursos de Obediencia Básica. Todos sabemos que desea tener ¡el Golden más educado del vecindario!

Recuerde esto: hay una relación directa entre la calidad y cantidad de tiempo que dedique a su cachorro durante las primeras 20 semanas de su vida y el carácter que tendrá cuando sea adulto. Es imposible volver a atrapar ese valioso periodo de aprendizaje, así que aprovéchelo.

LLEGADA A CASA DEL CACHORRO

Resumen

■ Tenga en mano todos los accesorios necesarios para cuando llegue el cachorro.

■ Los juguetes son especialmente importantes en el caso del bucal Golden.

■ Adquiera una jaula para perros adultos; su cachorro crecerá muy pronto.

■ Para mantener a salvo al cachorro y a la casa, es necesario despojarla de todos los riesgos y peligros.

■ La sociabilización es divertida para el Golden, un perro cuya razón de ser es hacer amigos. Es importante, sin embargo, enseñarle a controlar su natural carácter expansivo para que no abrume a sus nuevas amistades.

Primeras lecciones

Los Golden Retriever son perros listos; después de todo, ¿no es esa una de las razones por las cuales usted ha escogido esta raza?

Les encanta aprender y son fáciles de enseñar; he aquí la palabra clave: «enseñar». No nacieron programados para ser obedientes. Es tarea suya enseñar a su perro las reglas de la casa y las buenas costumbres, y esa tarea comienza el mismo día en que lo trae a casa.

Todos los perros son animales de manada y, como tales, necesitan un líder. El primer jefe de su Golden fue su propia madre; cuando estaba con el resto de la camada todas las lecciones venían de ella y de sus hermanos. Cuando jugaba muy fuerte o mordía muy duro, sus hermanos lloraban y dejaban de jugar. Si se ponía bravucón u ofensivo, su madre le daba un suave manotazo con su maternal pata. Ahora le toca a usted asumir el papel de líder y darle a entender cuál es la conducta apropiada, de manera

Las experiencias nuevas, como acariciar suavemente al cachorro con un cepillo, constituyen la base del adiestramiento para actividades futuras. Como usted desea que su Golden se comporte bien durante el acicalado, merece la pena comenzar con el proceso lo antes posible.

tal que su joven mente canina lo pueda entender. ¡Las reglas humanas no tienen sentido alguno para los perros!

Las primeras 20 semanas en la vida de cualquier perro constituyen el tiempo más precioso para el aprendizaje, pues su mente está en su mejor momento para absorber todas las lecciones, positivas y negativas. Las experiencias positivas y la adecuada sociabilización durante este periodo son sumamente importantes para su desarrollo y estabilidad futuros. Esté consciente siempre de que la cantidad y calidad del tiempo que invierta ahora en su joven Golden determinará la clase de adulto en que luego se convertirá. ¿Un perro salvaje, o un caballero o dama? ¿Un perro educado o uno desobediente? Depende de usted.

La ciencia que estudia la conducta canina nos enseña que cualquier comportamiento premiado será repetido. Es lo que se conoce como refuerzo positivo. Si ocurre algo bueno, como recibir una sabrosa golosina, o abrazos y besos, el cachorro deseará naturalmente repetir el

Un Golden listo sabe cómo sacarle partido a las personas permisivas. Es importante que todos los miembros de la familia jueguen su papel en el adiestramiento del perro y que éste aprenda a obedecer a cada uno de ellos con el mismo respeto.

He aquí una adorable «esponja» de nueve semanas de edad, lista para absorber todo lo que pueda usted enseñarle.

comportamiento. Las mismas investigaciones que han conducido a estas conclusiones, han demostrado que uno de los mejores caminos para llegar a la mente de un cachorro es su estómago. ¡No subestime nunca el poder de una golosina!

Y esto nos lleva a otra regla muy importante relacionada con el cachorro: mantenga sus bolsillos repletos de golosinas todo el tiempo, así estará siempre listo para reforzar cualquier comportamiento positivo en el justo momento en que se produzca. El mismo principio del refuerzo se aplica a las conductas negativas, o a lo que las personas pueden considerar negativo, como escarbar dentro del bote de basura, algo que ni el cachorro ni el perro adulto saben que está «mal». Si el cachorro se mete en la basura, roba comida o hace cualquier otra cosa que lo haga sentirse a gusto, lo repetirá. ¿Qué mejor razón para mantenerlo bajo vigilancia estrecha, poder atraparlo en el acto y enseñarle así cuáles son los comportamientos inaceptables para usted?

Ya está usted a punto de comenzar a las clases del cachorro.

Regla 1: El cachorro debe aprender que ahora usted es el «perro alfa» y su nuevo jefe de manada. Regla 2: Tiene que enseñarle todo de manera que lo entienda (lo siento, pero ladrando no lo conseguirá). Recuerde siempre que el cachorro no sabe nada acerca de los estándares de conducta que tenemos las personas.

Asociación de palabras

Cada vez que le enseñe el mismo comportamiento, utilice la misma palabra (orden) y, cuando el resultado sea positivo, premie con recompensas comestibles y elogios verbales, a fin de reforzarlo. El cachorro hará la conexión y se sentirá motivado para repetir dicho comportamiento cada vez que escuche las palabras claves. Por ejemplo, cuando le enseñe a hacer sus necesidades fuera de casa, use siempre la misma orden («Retrete», «Popó» o «Apúrate», están entre las más comunes) cada vez que se desahogue. Mientras está haciendo sus necesidades, añada: «!Muy bien!».

El cachorro aprenderá enseguida para qué son esos viajes fuera de la casa.

La cuenta del tiempo

Todos los perros aprenden sus lecciones en el presente. Es necesario atraparlos en el acto (bueno o malo) para otorgarles recompensas o castigos. Usted dispone de cinco segundos para conectarse con su perro, de lo contrario él no entenderá qué fue lo que hizo mal. Por eso, la cuenta del tiempo y la coherencia son las dos claves para enseñar con éxito al perro cualquier conducta nueva, o corregirle las malas.

El éxito en el adiestramiento del cachorro descansa sobre varios principios importantes:

1. Use órdenes sencillas de una sola palabra y dígalas una sola vez. De lo contrario, el cachorro aprende que «Ven» (o «Siéntate» o «Échate») son órdenes de tres o cuatro palabras.
2. Nunca corrija a su perro por algo que haya hecho minutos antes. Recuerde: sólo dispone de tres a cinco segundos.
3. Elógielo siempre (y dele una golosina) tan pronto como haga algo bien (o cuando deje de hacer algo mal). ¿Si no, cómo va a comprender su cachorro que está siendo disciplinado?
4. Sea coherente. No puede permitirle que se acurruque junto a usted en el sofá para ver la televisión hoy, y mañana regañarlo porque se está encaramando en él.

Jugar con el cachorro y sus juguetes le ayuda a establecer lazos con él y le sirve como actividad introductoria para la futura enseñanza de las órdenes básicas.

5. Nunca le llame para regañarlo por algo mal hecho pues pensará que el correctivo es el resultado de haber acudido a usted. (Debe pensar como perro, ¿recuerda?). Vaya usted siempre hacia el perro para detener cualquier comportamiento no deseado, pero asegúrese de atraparlo en el acto, porque de lo contrario su perro no entenderá por qué lo está regañando.

6. Nunca lo golpee, patee o le dé con un periódico u otro objeto. Tales medios abusivos sólo generarán miedo y confusión en el perro y podrían provocar un comportamiento agresivo con el paso del tiempo.

7. Cuando le elogie o le corrija, use sus mejores recursos vocales. Una voz alegre y ligera para el elogio, y una voz firme y tajante para las advertencias o regaños. Un quejumbroso «No, no» o «Déjalo» no sonará muy convincente, ni tampoco una voz profunda y áspera hará que su cachorro sienta que se está portando bien.

Su perro también responderá en consonancia con las discusiones familiares. Si hay una pelea a gritos, pensará que hizo algo malo y tratará de protegerse.

Juegos

Jugar con el cachorro es la manera perfecta de entretenerlo a él y de entretenerse usted mientras le da lecciones subliminales y ambos se divierten. Comience con un plan de juegos y un puñado de sabrosas golosinas. Que los juegos sean cortos para no extralimitar la atención del cachorro más allá de lo normal.

El juego de «Atrápame si puedes» ayuda en el aprendizaje de la orden de venir. Dos personas se sientan en el suelo a unos cuatro o cinco metros de distancia una de la otra; una de ellas sostiene y acaricia al cachorro mientras la otra lo llama con voz alegre: «Perrito, perrito, ¡ven!». Cuando él venga corriendo, recompénselo con grandes abrazos y ofrézcale una jugosa golosina. El juego se repite varias veces más, invirtiendo quién lo aguanta y quién lo llama, pero… sin excederse.

Se puede enriquecer el juego con una pelota o un juguete que ambas personas lanzarán a un lado y a otro para que el cachorro lo cobre. Cuando lo haga, hay que elogiarlo y abrazarlo más, ofrecerle una golosina para que suelte el juguete y volver a lanzar la pelota (o juguete) a la persona número dos. Se repite, igual que antes.

El juego de las escondidas es otro que enseña la orden de venir. Juéguelo fuera de la casa, en el patio, o en alguna otra área cerrada y segura. Cuando el cachorro esté distraído, ocúltese detrás de un arbusto. Atísbelo, para que pueda saber cuándo es que él se percata de que usted no está y regresa corriendo para encontrarle (créame, es lo que hará). Tan pronto como se acerque, salga del escondite, agáchese con los brazos extendidos y llámelo: «Perrito, ¡ven!». Este juego es también un recurso importante para relacionarse con su cachorro y enseñarle que depende de usted.

Juegue a «Busca el juguete». Comience por colocar uno de los juguetes favoritos del cachorro a la vista. Pregúntele: «¿dónde está tu juguete?» y déjelo que lo tome. Entonces llévese el cachorro fuera de la habitación y coloque el juguete de manera que sólo sea visible una parte de él. Traiga al cachorro y hágale la misma pregunta. Alábelo efusivamente cuando encuentre el objeto. Repita lo mismo varias veces. Finalmente, esconda el juguete completamente y deje que el cachorro olfatee. Confíe en su olfato… él encontrará el juguete.

A los cachorros de Golden les encanta divertirse con su familia. Los juegos son excelentes auxiliares pedagógicos y una de las mejores maneras de decirle al cachorro: «Te quiero».

PRIMERAS LECCIONES

Resumen

■ El Golden es inteligente, ¡pero no nació entrenado! Su cachorro tiene mucha capacidad para aprender lo que usted le enseñe.

■ Aproveche la juventud del cachorro porque es el momento de establecer su liderazgo y los buenos hábitos de conducta.

■ Los métodos de adiestramiento deben estar basados en el refuerzo positivo, con premios en forma de golosinas, caricias y elogios.

■ Enseñarle a asociar palabras y saber cómo usar correctamente el momento, son dos principios básicos del adiestramiento.

■ Jugar con el cachorro reforzará el lazo entre ambos y le servirá como introducción a las órdenes de una manera divertida.

Educación inicial

Vamos a darle otro título a este capítulo. Llamémosle «Adiestramiento con jaula».

La jaula (¡que no es una celda!) es en realidad una especie de madriguera canina, el lugar para conservar al cachorro seguro y alejado de cualquier travesura, así como una manera de proteger la casa de sus travesuras. Es posiblemente el artículo más importante del equipamiento canino, porque terminará por convertirse en el lugar especial y propio de su Golden, un lugar que ambos, usted y él, apreciarán y disfrutarán por igual. Su cachorro se adaptará de modo natural al confinamiento en la jaula, no sólo porque los cánidos son criaturas de madriguera, sino por los miles de años que emplearon sus ancestros viviendo en cuevas y oquedades terrestres. Su cachorro de Golden es en sí un compañerito aseado, que se esforzará por no ensuciar su espacio vital propio.

La educación básica es la clave para disfrutar una vida feliz en compañía de ese amigo que, gracias a sus correctos hábitos higiénicos, hace que sea un placer convivir con él.

La jaula es en realidad un accesorio canino multipropósito: es el hogar propio del Golden dentro de la casa familiar; un instrumento para enseñarle la educación básica; un medio de proteger al cachorro, la casa y las pertenencias del dueño cuando éste está ausente; un auxiliar en caso de viajes para albergar y mantener al perro a salvo (la mayoría de los moteles aceptan perros en jaula) y, por último, un espacio cómodo para el cachorro cuando llegan de visita esos familiares nuestros que no aman a los perros.

¡Algunos criadores de experiencia insisten en el uso de la jaula cuando los cachorros dejan el hogar natal, y algunos les dan esta clase de adiestramiento antes de que se vayan a sus futuros hogares. Pero es más probable que su Golden no haya visto nunca una jaula, de manera que está en sus manos garantizar que su primera experiencia con él sea agradable.

¡Póngalo en contacto con la jaula tan pronto como llegue a casa, así aprenderá que ése es su nuevo «hogar». Lo logrará con mayor éxito utilizando golosinas. Durante los primeros dos

Adiestrar a un perro para la jaula significa acostumbrarlo a permanecer tranquilamente en ella cuando sea necesario, por ejemplo, durante un viaje, en las exposiciones, en la consulta veterinaria, etc.

Cuando los dueños no disponen de un patio para que sus perros hagan las necesidades, el programa de paseos con este fin tiene que formar parte de la rutina cotidiana.

días, arrójele dentro una pequeña golosina para incitarlo a entrar. Elija una orden de entrada a la jaula, algo así como: «Perrera», «Adentro» o «Jaula» y úsela cada vez que él entre. También puede darle sus primeras comidas dentro de la jaula, con la puerta abierta, para que la asocie con algo agradable.

El cachorro debe dormir en su jaula desde la primera noche. Puede que se queje o se resista al encierro, pero sea fuerte y mantenga su plan. Si le suelta cuando llora, le habrá dado su primera lección en la vida… si lloro, me dejan salir y a lo mejor hasta me abrazan… Lo mejor es que, durante las primeras semanas, coloque la jaula cerca de su cama por las noches. Su presencia tranquilizará al cachorro y usted podrá saber si él necesita salir a hacer sus necesidades en medio de la madrugada. Haga lo que haga, no le brinde apoyo llevándoselo a la cama. Para el perro, eso significa que ustedes dos son iguales, y eso va en contra de su intento por establecer su liderazgo.

Practique colocando al cachorro en la jaula para dormir las siestas, por las noches, y siempre que no sea capaz de vigilarlo estrechamente. No se preocupe… él le hará saber cuando se ha despertado y necesita salir a desahogarse. Si se queda dormido bajo la mesa y se despierta cuando usted no está por allí, adivine qué es lo primero que hará. Un charco, y luego caminará sobre él para decirle: «!Hola!».

Conviértase en el vigilante del Golden. Las rutinas, la coherencia y un ojo de águila son las claves para triunfar en la educación básica. Los cachorros siempre «van» cuando se despiertan (¡rápido!), unos minutos después de comer, cuando terminan de jugar y luego de breves ratos de confinamiento. La mayoría de los cachorros que no han cumplido aún los tres meses necesitan desahogarse por lo menos cada hora o algo así, o sea 10 veces al día ¡o más! (Ponga a funcionar el cronómetro de la cocina para recordarlo). Lleve siempre al cachorro a la misma área y, mientras salen, dígale: «Fuera». Elija una palabra para darle la orden de desahogarse («Apúrate», «Popó» o «Dale, hazlo», se usan mucho) y úsela cuando él esté haciendo sus necesidades, al mismo tiempo que lo alaba con un «!Muy bien!» Use siempre la misma puerta para llevarlo fuera y, si lo confina, que sea en un área aledaña a la salida para que pueda encontrarla cuando sienta la necesidad. Esté al tanto de las señales que expresan la urgencia de desahogarse, como olfatear, girar en círculos, etc. No le permita deambular por la casa hasta que esté completamente educado pues ¿cómo va a encontrar la puerta de salida si tiene que atravesar primero dos o tres habitaciones? Él no tiene un mapa de la casa en su cabeza.

Claro, habrá accidentes. Todos los cachorros los tienen. Si lo atrapa en el acto, palmotee ruidosamente diciendo: «!Aaaah! !Aaah!» y encamínelo hacia fuera. Su voz deberá alarmarlo y hacerlo detenerse. No deje de alabarlo cuando termine de hacer sus necesidades en el exterior.

Si descubre los orines después de ocurridos los hechos… más de tres o cuatro segundos después… llegó demasiado tarde. Los cachorros sólo entienden el momento presente y no son capaces de comprender un correctivo aplicado cinco segundos (sólo cinco) más tarde de ocurridos los hechos. Las correcciones a destiempo sólo causan miedo y confusión. Así que olvídelo y prométase estar más vigilante.

Todos sabemos que «todo lo que entra tiene que salir», pero lo que los dueños de cachorros tienen que saber es que «todo lo que entra tiene que salir irápidamentel».

Nunca (así como se lo digo: N-U-N-C-A) restriegue la trufa del cachorro dentro de los orines o las heces ni le golpee con la mano, con un periódico o con cualquier otro objeto con el fin de corregirlo. Él no entenderá y sólo conseguirá que le tome miedo a la persona que lo golpea.

Sugerencia para la educación de las necesidades: quítele el plato del agua después de las siete de la tarde para ayudar al control de la vejiga durante la madrugada. Si está sediento, ofrézcale un cubito de hielo. A partir de entonces lo verá correr al refrigerador cada vez que escuche el sonido de la cubeta.

Al margen de sus numerosos beneficios, no puede abusarse de la jaula. Los cachorros menores de 3 meses de edad no deben permanecer dentro de la jaula por más de dos horas cada vez, a menos, claro, que estén durmiendo. Una regla general dice que tres horas es lo máximo para un cachorro de tres meses, cuatro o cinco para uno de cuatro o cinco meses y no más de seis horas para perros de más de seis meses de edad. Si usted no puede estar en casa para soltar al perro, póngase de acuerdo con un pariente, vecino o con un cuidador de perros para que le deje salir a hacer un poco de ejercicio y sus necesidades.

Por último, pero no por ello menos importante, he aquí la regla para el uso de la jaula: nunca, nunca, la use para castigar al perro. El éxito del adiestramiento con jaula depende de que el cachorro la identifique positivamente como su «casa». Si la jaula representa castigo o «algo malo» se resistirá a usarla como su lugar de protección. Claro que usted puede colocarlo en ella después de que haya volcado el bote de basura, para poder limpiar. Pero no lo haga con una actitud iracunda o diciéndole: «¡A la jaula, perro malo!».

Si no se siente capaz de usar la jaula, ¿qué podrá hacer con el cachorro cuando no esté en casa? Limítelo a una sola habitación con la ayuda de barreras a prueba de bebés o perros.

Elimine de esa habitación todo lo que el cachorro pueda morder o dañar, o aquello con lo cual pueda hacerse daño. Sin embargo, aun en un lugar libre de objetos, algunos cachorros morderán las paredes o tabiques. Un corral para ejercicios de un metro y medio cuadrado (disponible en las tiendas para mascotas), lo suficientemente fuerte como para que el cachorro no pueda derribarlo, le proporcionará un confinamiento seguro durante periodos cortos de tiempo. Coloque papel en un rincón del corral para que haga sus necesidades, y coloque un cobertor en la otra esquina para que duerma sus siestas. Cuando lo deje solo, proporciónele juguetes inofensivos para morder de manera que se quede feliz en el corral.

Y lo más importante de todo: recuerde que el éxito de la educación básica radica en la constancia y la repetición. Mantenga un programa estricto y use sus palabras clave coherentemente. Los dueños bien entrenados tienen cachorros bien adiestrados… y casas limpias ¡que huelen bien!

EDUCACIÓN INICIAL

Resumen

■ El método más confiable para la educación de las necesidades fisiológicas es el adiestramiento con jaula. La jaula aporta beneficios adicionales porque mantiene al perro seguro dentro de la casa, durante los viajes, y en cualquier situación en la cual usted no pueda supervisarlo.

■ El cachorro debe asociar su jaula exclusivamente con cosas positivas; así aprenderá a aceptarlo como su guarida, ese lugar propio donde está a salvo.

■ Ocúpese de sacar al cachorro a menudo para que haga sus necesidades. La prevención es la mejor manera de evitar accidentes dentro de la casa.

■ Elogie a su cachorro cuando vaya al lugar apropiado y regáñelo por haber tenido un accidente sólo si lo atrapa en el acto. De lo contrario, el regaño no le hará ningún bien: ¡es necesario ser preciso!

■ Aprenda cómo usar correctamente la jaula; nunca abuse de ella ni la utilice en forma de castigo

Las órdenes básicas

Los Golden Retriever se clasifican entre los perros más listos.

A lo largo de los años, la autora ha tenido el placer de adiestrar a docenas de Golden (muchos de ellos, sus propios perros domésticos), y ha sido un placer (aunque a veces, también, un reto) enseñar a cada uno de ellos a transformarse en un compañero canino educado y excepcionalmente obediente.

El buen comportamiento canino es algo más que la correcta educación doméstica. Todos los perros deben aprender obediencia básica si quieren ser bienvenidos en todas partes. Deben ser eficientes obedeciendo órdenes simples como «ven», «siéntate», «quieto», «échate» y «camina». En resumen, deben ser perros sin tacha.

Puede comenzar las lecciones del cachorro tan pronto como lo traiga a casa. No se preocupe, que no es demasiado joven. Éste es precisamente el principal periodo de aprendizaje

Para poder comenzar a enseñarle órdenes, su cachorro de Golden debe estar acostumbrado a la correa y el collar.

así que mientras más temprano comience más fácil le resultará y más éxito tendrán los dos. Empiece siempre sus clases en un entorno tranquilo, libre de distracciones. Cuando su cachorro ya domine un ejercicio, cambie de lugar y practique en otro diferente… otra habitación, el patio, luego con otra persona u otro perro cerca. Si el cachorro reacciona a la nueva distracción y no hace bien el ejercicio, elimine la distracción durante algún tiempo y continúe haciéndolo. No acelere nada. Recuerde que se trata de ¡un cachorro!

Para evitar que se confunda, que sea una sola persona la que instruya al cachorro en los primeros tiempos. Cuando haya aprendido una orden de manera confiable, otros miembros de la familia pueden probar.

Antes de cada sesión de adiestramiento, ignore a su cachorro de Golden por algunos minutos. La falta de estímulos le hará sentirse más ansioso de su compañía y atención. Haga que las lecciones sean cortas para que su cachorro no se aburra y se mantenga entusiasmado. Con el tiempo, será capaz de concen-

La primera posición que se debe enseñar es la de sentado. Es la más fácil de aprender y constituye la base para algunas otras, como la de caminar, porque el perro empieza por estar sentado a su lado hasta que usted arranca a caminar.

Para empezar a enseñarle el «quieto», haga que el Golden se siente y entonces colóquele la mano frente a la cara como si estuviera haciendo una señal de detenerse.

trarse durante periodos de tiempo más largos. Varíe los ejercicios para mantener en alto el entusiasmo del cachorro. Esté al tanto de cualquier signo de aburrimiento o pérdida de atención.

Haga que las sesiones de adiestramiento sean positivas y alegres. Use mucho elogio, elogio y ¡más elogio! No adiestre nunca a su cachorro o perro adulto si está usted de mal humor. Perderá la paciencia, él pensará que es culpable, y eso anulará todo el progreso que hayan alcanzado. Termine cada sesión de adiestramiento con una nota positiva. Si ha estado luchando para conseguir que haga un ejercicio, o si no ha tenido éxito con él, cambie para uno que ya sepa hacer bien («!Siéntate!») y termine así la lección.

Antes de poder enseñar a su cachorro cualquier orden con efectividad, deben pasar dos cosas. El cachorro tiene que aprender a responder por su nombre (reconocimiento del nombre) y usted tiene que ser capaz de ganarse y retener su atención. ¿Cómo conseguirlo? Con golosinas, ¡por supuesto! Las golosinas se definen como bocaditos minúsculos, preferiblemente suaves y fáciles de tragar. Debe tener cuidado de no sobrealimentar a su cachorro. Lonjas finas de un bocadillo cortadas en cuadritos funcionan bien.

Aquellos que aspiren a presentar su perro en exposiciones de conformación, deben enseñar al Golden a «posar»: es la posición que asumirá para su evaluación en la pista. Muchos presentadores enseñan esta postura concentrando la atención del perro en una golosina.

La atención y el reconocimiento del nombre

Comience pronunciando el nombre del cachorro de Golden.

Una vez. No dos ni tres veces, sino una. De lo contrario, aprenderá que tiene un nombre en tres partes e ignorará el llamado hasta que usted lo pronuncie completo. Comience usando su nombre cuando él no esté distraído y usted esté seguro de que le mirará. Láncele una golosina tan pronto como le mire. Repita este ejercicio por lo menos doce veces, varias veces al día. No le va a tomar más de 24 horas conseguir que su cachorro entienda que su nombre significa algo bueno que comer.

La orden de relajación

Ésa será la palabra que utilice para hacerle saber al cachorro que se terminó el ejercicio, algo así como el «Descansen» que se usa en la vida militar. «Listo» o «Libre» son los que más se recomiendan, aunque también se usa «Okey». Usted necesita esta palabra de relajación para hacer saber a su Golden que el ejercicio terminó y que puede relajarse y/o moverse de cualquier posición estable.

Toma y deja

Esta orden ofrece demasiadas ventajas para enumerarlas todas. Coloque una golosina en la palma de su mano y diga al cachorro: «Toma», mientras él se apodera de ella. Repítalo tres veces. A la cuarta vez, no diga una palabra cuando su cachorro alcance la golosina… sólo cierre sus dedos sobre ella y espere. No retire la mano ni haga fuerzas con ella, sólo prepárese para que el cachorro le toque, le lama, ladre y le mordisquee los dedos. ¡Paciencia! Cuando finalmente se aleje y espere unos segundos, ábrala y dígale: «Toma». Repita el ejercicio hasta que él se detenga y espere por la orden de «Toma».

Ahora, el segundo paso. Enseñe al Golden la golosina que tiene en la palma de la mano y dígale: «Deja». Cuando él intente tomarla, cierre la mano y repita: «Deja». Repita el procedimiento hasta que se vaya, espere sólo un segundo, abra su mano, dígale: «Toma» y déjele tomar la golosina.

Repita el «Deja» hasta que él espere algunos segundos, entonces ofrézcale la golosina con un «Toma». Gradualmente, prolongue el tiempo de espera después que el cachorro, obedeciendo la orden, deja la golosina antes de decirle «Toma».

Ahora vamos a enseñar al perro a dejar las cosas en el suelo, no simplemente en la palma de su mano. (Piense en todo aquello que usted no desea que él recoja). Colóquese frente al cachorro (con la correa floja) y arroje una golosina hacia atrás pero ligeramente hacia un lado para que él pueda verla, mientras le dice: «Deja». Aquí comienza «el baile». Si él va a buscar la golosina, use su cuerpo, no sus manos, para bloquearlo, haciendo que se aleje. Tan pronto como se aleje o renuncie a tratar de rodearle, desbloquee la golosina y dígale: «Toma». Prepárese para bloquearla de nuevo si él va por ella antes de que usted le dé permiso. Repita el proceso hasta que él logre comprender y espere la orden.

Una vez que su Golden aprenda bien esto, practíquelo con el plato de comida, diciéndole «Deja», y luego «Toma» cuando obedezca (puede lo mismo sentarse o permanecer de pie mientras espera por el plato). Al igual que antes, extienda gradualmente el periodo de espera antes de decirle: «Toma».

Este sencillo ejercicio de adiestramiento, envía muchos mensajes al Golden. Le recuerda que usted es el jefe y quien da las órdenes y que todas las cosas buenas, como la comida, vienen de la persona que lo quiere. Ayuda a evitar que el cachorro se vuelva muy posesivo con su plato de comida, conducta que sólo conduce a otras más agresivas. Los beneficios de un sólido «Toma/Deja» son incontables.

La orden de venir

Esta orden es potencialmente salvavidas...porque evita que su Golden desaparezca detrás de una ardilla, persiga a un niño en bicicleta, se precipite a cruzar la calle... y sobrevenga el posible desastre.

Practique siempre esta orden con el perro sujeto por la correa y dentro de un área segura y cerrada. No puede darse el lujo de fallar porque entonces su cachorro aprenderá que no tiene que venir cuando se le llame.

Una vez que haya conseguido captar la atención del cachorro, llámelo desde una corta distancia diciéndole: «Perrito, ¡ven!» (¡con una voz alegre!) y, cuando venga, dele una golosina. Si duda, tire suavemente de él con la correa. Tómelo por el collar y sosténgalo con una mano mientras con la otra le da la golosina. Esto de tomar el collar es importante. Eventualmente, usted deberá dejar atrás la golosina y pasar al elogio manual. Esta maniobra también conecta el hecho de sostener el collar con el de venir y recibir golosinas, lo que le favorecerá en incontables comportamientos futuros.

Repita el ejercicio de 10 a 12 veces, 2 o 3 veces al día. Una vez que el cachorro haya dominado la orden de venir, continúe practicándola diariamente para imprimir en su cerebro ese comportamiento tan importante. Los dueños experimentados de Golden saben, sin embargo, que no se puede confiar nunca completamente en que un perro acuda al llamado si está enfrascado en alguna misión autoasignada. «Sin correa» es a menudo sinónimo de «sin control». Siempre que no se encuentre en un lugar cerrado y seguro, mantenga a su Golden con la correa puesta.

La orden de sentarse

Esto es «coser y cantar», si el Golden ya ha entendido el proceso de recibir golosinas. Permanezca de pie frente al cachorro, mueva la golosina directamente sobre su trufa y suavemente hacia atrás. A medida que él se echa hacia atrás para alcanzarla, se irá sentando. Si se levantara para tomar la golosina, bájela un poquito. Cuando sus cuartos traseros toquen el suelo, dígale: «Siéntate» (esa sola palabra: «siéntate»). Suelte la golosina y tómelo suavemente del collar, tal y como lo hizo con la orden de venir. Así él volverá a conectar positivamente tres cosas: la go-

Su Golden debe responder siempre de manera confiable cuando usted lo llame. Casi siempre vendrá corriendo para mostrarle lo que lleva en la boca en ese momento (¡en cuyo caso puede resultar útil usar el «Deja»!).

losina, la posición de sentado y ser sostenido por el collar.

A medida que vaya dominando la orden manténgalo en la posición de sentado por periodos de tiempo más largos, antes de darle la golosina (éste es el comienzo de la orden de «quieto»). Empiece a usar la palabra de relajación para liberarlo de la posición de sentado. Practique la orden de sentarse como parte de las actividades cotidianas, por

Cuando su Golden ya domine la posición de echado, lo cual puede ser todo un reto, puede avanzar enseñándole a quedarse quieto en esa posición, tal y como lo hizo con la de sentado.

ejemplo, sentarse para que se le sirva su plato de comida o para recibir un juguete. Ordénele sentarse improvisadamente durante el día, y prémielo siempre con golosinas o elogios. Una vez que haya aprendido confiablemente la orden, aproveche la hora de la comida para combinar el «Siéntate» y el «Deja», así su cachorro irá ampliando su vocabulario.

La orden de quieto

«Quieto» es en verdad una extensión del «Siéntate» que el perro ya conoce. Con el cachorro sentado bajo la orden, colóquele la palma de la mano frente a la trufa y dígale: «Quieto». Cuente hasta cinco. Diga entonces la palabra de relajación para que pueda abandonar la posición de sentado y alábelo. Alargue los periodos de estancia incrementando el tiempo muy paulatinamente... y dando al cachorro oportunidad para dar rienda suelta a su energía.

Una vez que permanezca quieto de manera confiable, dé un paso hacia atrás y luego vuelva hacia delante. Poco a poco extienda el tiempo y la distancia que le aleja del perro. Si el cachorro deja la posición de quieto, dígale: «No» y colóquese de nuevo frente a él. Actúe con inteligencia, en dependencia de la capacidad de atención que muestre el cachorro.

La orden de echarse

Puede costar trabajo que el perro llegue a dominar la orden de echarse. Como es una postura de sumisión, algunos perros y ciertas razas dominantes pueden encontrarla especialmente difícil. Por eso es muy importante enseñársela el perro desde que es muy pequeño.

Partiendo de la posición de sentado, mueva la golosina desde la trufa del perro hacia el suelo y luego ligeramente hacia atrás entre sus dos patas delanteras. Sacúdala, si es necesario, para despertar su interés. Tan pronto como sus patas delanteras y tren trasero toquen el suelo, dele la golosina y dígale: «Échate, Muy bien, ¡échate!» para que conecte la conducta con la palabra. Esta lección puede ser difícil, así que sea paciente y, siempre que el perro coopere, generoso con las golosinas. Una vez que asuma con facilidad la posición de echado, incorpore el quieto de la misma manera que lo hizo con la posición de sentado. Hacia los seis meses de edad, el cachorro debe ser capaz de quedarse firmemente sentado y echado durante diez minutos.

La orden de esperar

Ésta le encantará, especialmente cuando su Golden llegue a casa con las patas mojadas o llenas de barro. Trabaje la orden de esperar con una puerta interior cerrada (no sería inteligente hacerlo con una puerta de salida al exterior). Comience por abrir la puerta como si fuera a salir o entrar por ella. Cuando el perro trate de seguirlo, colóquesele enfrente y bloquéele el paso. No use todavía la orden de «Espera». Manténgase bloqueando la puerta hasta que él dude y usted pueda abrirla un poquito para salir por ella. Entonces diga la palabra con la cual lo libera de la orden de esperar: «Pasa» o «Ahora», o cualquier otra orden de suspensión que haya elegido para efectuar el ejercicio, y permítale trasponer la puerta. Repita el bloqueo corporal hasta que él entienda y espere por usted, entonces comience a aplicar al ejercicio la verdadera orden de «Espera». Practique con diferentes puertas dentro de la casa, y use las entradas desde fuera (hacia áreas seguras o cerradas) sólo después de que él sea capaz de esperar confiablemente.

La orden de caminar

La verdadera orden de caminar viene un poquito después. A un joven Golden lo único que hay que enseñarle es a caminar educadamente con la correa puesta, a su lado o cerca de usted. Esto se consigue mejor cuando el cachorro es muy joven y pequeño, antes de que sea capaz de ¡tirar de usted!

Comience el adiestramiento con correa tan pronto como el

Su Golden gozará cualquier oportunidad de explorar a campo abierto atado a una correa larga, pero debe también caminar disciplinadamente a su lado cuando usted decida que así sea.

cachorro llegue a casa. Sólo átele la correa al collar de hebilla y déjelo deambular con ella durante un rato cada día. Juegue con él mientras tiene la correa puesta para que la relacione con un momento feliz del día. Si la

muerde, distráigalo con un juego o rocíela con una sustancia repelente de esas que venden en las tiendas para mascotas para que pierda el interés en morderla.

Después de unos días, tome la correa mientras se encuentran en un área libre de distracciones de la casa o del patio y caminen juntos sólo algunos pasos. Lleve el cachorro a su izquierda y una golosina en la mano para estimularlo a caminar cerca de usted. Palméese la rodilla y use su más alegre tono de voz. Diga: «!Vamos!» cuando se mueva hacia delante y sosteniendo la golosina baja para mantenerlo cerca. Dé algunos pasos, ofrézcale la golosina, y alábelo. Adelante sólo unos pocos pasos cada vez.

Procure que estas sesiones sean cortas y festivas, que no duren más de 30 segundos (esto es mucho tratándose de un cachorro). Nunca lo regañe o arrastre para que camine más rápido o más despacio, sólo estimúlelo con una charla alegre. Al principio, camine recto hacia el frente, y vaya añadiendo giros amplios cuando él empiece a comprender el asunto. Progrese entonces hasta hacer giros de 90 grados dándole un suave tirón a la correa, pronunciando un alegre: «!Vamos!» y, por supuesto, estimulándole con una golosina. Camine breves tramos que no le tomen más de 30 o 40 segundos, con un alegre receso (use su palabra de relajación) y un breve juego entre una sesión y otra. Procure que el tiempo total del adiestramiento sea breve y siempre termine con una nota exitosa, incluso si el cachorro adelanta sólo unos pocos pasos.

Mantenga la práctica

La práctica constante es realmente una regla de por vida, especialmente cuando se trata de un perro voluntarioso. Los perros, perros son, y si no les conservamos las habilidades aprendidas, volverán a sus comportamientos desatentos y chapuceros, que serán entonces más difícil de corregir. Incorpore estas órdenes a su rutina diaria y su perro seguirá siendo un caballero –o dama– del (de la) cual podrá usted sentirse orgulloso.

LAS ÓRDENES BÁSICAS

Resumen

■ Todos los perros necesitan que se les enseñen las órdenes básicas. Afortunadamente, el Golden es muy inteligente y adiestrable.

■ El Golden es un perro afectuoso y amistoso al que nunca debemos tratar bruscamente. El refuerzo positivo es la manera de educar al perro.

■ Comience escogiendo un nombre apropiado y enseñando a su perro a reconocerlo. Usted debe ser capaz de conquistar su atención antes de comenzar el adiestramiento.

■ Cuando practique las distintas órdenes, escoja una palabra de relajación para indicar al perro que el ejercicio ha terminado.

■ Las órdenes básicas incluyen el Toma/Deja, el Siéntate, Quieto, Échate, Camina, Ven y Espera. Mantenga la práctica e incorpore estos ejercicios a su vida cotidiana.

Cuidados domésticos

El Golden Retriever vive de promedio entre 10 y 13 años.

Pero la calidad de esos años depende de un programa consciente de cuidados caseros. Aunque la genética y el ambiente influyen en la longevidad de un perro, usted es la columna vertebral del programa de salud de su Golden. Tal y como reza el proverbio: «una manzana al día…», la atención diaria que dedique al bienestar de su perro le permitirá «…alejar al veterinario».

Los dos elementos más importantes para el cuidado de la salud canina son, a no dudarlo, el control del peso y la higiene dental. Los veterinarios aseguran que más del 50 % de los perros que llegan a sus consultas están muy pasados de peso, y que esa obesidad restará dos o tres años a sus vidas debido a la carga que representa para el corazón, las articulaciones y los órganos vitales. El mensaje es obvio: la esbeltez es más saludable y éstas son pala-

El buen cuidado hogareño da como resultado un Golden más sano y feliz ¡por un número mayor de años!

bras mayores para los dueños de perros cebados.

Control de peso

Si de repente su Golden pudiera hablar, lo primero que le preguntaría es: ¿A quién llamas perro cebado? No se puede acusar a los Golden ¡por tener buen apetito! Para saber si el suyo está bien de peso, presiónele ligeramente el costillar y sienta las costillas bajo una fina capa de músculos. Si lo mira desde arriba, debe ver una cintura definida y, de lado, el abdomen del perro debe aparecer obviamente recogido.

Mantenga un registro del peso de su perro en cada visita anual al veterinario. ¿Qué tiene unas libras de más? Ajuste la cantidad de alimento (y nada de darle sobras de la mesa), considere cambiar para una comida canina «ligera», «para perros ancianos» o alguna formulada con menos calorías, e incremente el ejercicio.

El peso excesivo es especialmente dañino para los perros viejos con articulaciones crujientes. Un Golden anciano y sedentario perderá la forma más

La nutrición correcta, además de contribuir a mantener un peso saludable, juega un importante papel en la condición del manto. La dieta sana brilla a través de las brillantes guedejas del Golden.

Los juguetes para morder que son inofensivos para el perro, aportan beneficios dentales. Aquellos que están hechos de un cordel resistente actúan como hilo dental mientras el perro los mordisquea, por lo que ayudan a eliminar de entre los dientes, el sarro y las partículas difíciles de alcanzar.

rápidamente. Caminar y correr (más despacio si el perro es viejo) siguen siendo las mejores formas de preservar la salud. Programe el ejercicio de su perro de acuerdo con su edad y condiciones físicas.

Higiene bucal

Ahora que su perro está esbelto y en forma, vamos a examinar sus dientes. La Sociedad Dental Veterinaria de los Estados Unidos asegura que a la edad de tres años el 80 % de los perros muestra señales de enfermedad en las encías (¡rápido, mire la dentadura de su perro!).

El daño se evidencia a través de placas de sarro amarillas y marrón a lo largo de las encías, que pueden aparecer rojas e inflamadas, y a través del mal aliento persistente. Si no se toman medidas, tales condiciones permitirán que se acumule bacteria en la boca del perro y que entre al torrente sanguíneo a través de las encías lastimadas, todo lo cual eleva el riesgo de padecer enfermedades en los órganos vitales: corazón, hígado y riñones. Se sabe también que la enfermedad periodontal es

una de las principales causantes de problemas renales, y motivo frecuente de muerte en los perros viejos… aun siendo fácilmente evitable.

Su veterinario debe examinar los dientes y encías de su Golden durante el reconocimiento anual para comprobar si están limpios y sanos. Si tienen demasiado sarro, puede que recomiende una limpieza profesional.

Los 364 días restantes usted es el dentista de su perro. Cepíllele los dientes a diario o, por lo menos, dos veces a la semana. Utilice un cepillo dental canino (diseñado según el contorno de la boca perruna) y una pasta con sabor a pollo, bistec o hígado. (Las pastas «humanas» mentoladas son dañinas para los perros). Si el suyo se resiste al cepillo, pruebe con un trozo de gasa o paño fuerte enrollado alrededor del dedo. Para acostumbrar al cachorro al cepillado comience desde que es muy pequeño dándole suaves masajes en las encías; así aprenderá a tolerar e, incluso, a disfrutar del proceso.

La comida seca es una vía excelente para ayudarle a minimizar la acumulación de placa.

También puede tratar al perro dándole una zanahoria cruda al día. Las zanahorias ayudan a eliminar la placa a la vez que proporcionan vitaminas A y C. Compre objetos para morder que sean saludables, como los

pero cerciórese dé que ni ellos ni ninguno de los objetos que dé al perro tenga aristas cortantes o bordes afilados que puedan lastimarle la boca o dañarle los intestinos, en caso de tragarse los fragmentos. Las carnazas de

Si le da la oportunidad, ¡el Golden le acompañará gustoso a todas partes! Parte del cuidado que debemos a nuestros perros radica en garantizar su seguridad y comodidad durante los viajes, ya sea que los llevemos a la consulta veterinaria o de vacaciones.

huesos de goma y los juguetes con elementos abrasivos, que actúan como raspadores de sarro. Hay incluso huesos especiales para el cuidado de los dientes que eliminan y previenen la acumulación de sarro. Los huesos de las articulaciones de la res (crudos, los cocinados se astillan) también pueden funcionar,

cuero no se digieren fácilmente y si el perro engulle un trozo grande, como muchos tienden a hacer, pueden producir asfixia. Si le ofrece carnazas, no lo haga muy a menudo y siempre manténgalo bajo vigilancia.

Revisando el pelaje

Las sesiones semanales de

acicalado deben incluir el examen del cuerpo para comprobar si hay protuberancias (quistes, verrugas, lipomas), puntos calientes y otros problemas de la piel o del pelaje. Aun cuando los perros viejos suelen tener quistes benignos, muchos pueden ser malignos, así que su veterinario debe examinar cualquier anormalidad. Los parches o acrecencias negras en forma de lunares, en cualquier parte del cuerpo, re-

No todas las flores son tan bellas como parecen. Muchas pueden ser tóxicas para los perros o producir reacciones alérgicas. Infórmese al respecto antes de traer el cachorro a casa, así podrá cerciorarse de que no tiene ninguna de ellas dentro, o en el patio, donde el cachorro pueda alcanzarlas.

quieren inspección veterinaria inmediata. Recuerde que acariciar y abrazar a su perro puede ser también una vía para detectar pequeñas anormalidades.

Esté muy al tanto de la piel seca y del pelo escamoso y es-

caso porque son síntomas de posibles problemas en la tiroides. Revise por si hay pulgas o suciedad de pulgas, especialmente en la parte inferior del cuerpo y alrededor de la cola.

El cuidado de las orejas

Revise las orejas del Golden todas las semanas para ver si están limpias y huelen bien. Procure que su veterinario le enseñe la manera correcta de limpiarlas. Recuerde también que muchos perros viejos se van volviendo sordos. Claro que los perros listos pueden desarrollar oído selectivo y no «escuchar», a veces, pero podrá comprobar si se trata verdaderamente de un problema de sordera cuando tampoco se dé por enterado del tintineo de la lata de bizcochos. El tiempo y la experiencia le mostrarán los cambios y las concesiones que deberá hacer si su perro se queda sordo.

El cuidado de los ojos

La vista del Golden puede también deteriorarse con la edad. En los ojos de los perros mayores de edad suele aparecer una opacidad azulada que no impide la visión. Pero siempre debe consultar con el veterinario cualquier cambio que observe en los ojos del perro para saber si es inofensivo o si está evidenciando algún problema.

Debajo de la manta

¿Y qué hay con el otro extremo? ¿Su perro se mordisquea el trasero o lo frota contra la alfombra? Es un signo de que las glándulas anales están congestionadas. Pida a su veterinario que le exprima las glándulas (no es tarea de aficionados). Hágale análisis anuales de heces fecales para saber si tiene parásitos intestinales. Los anquilostomas, las ascárides y los tricocéfalos pueden provocar pérdida del apetito, pobreza en el pelaje y toda clase de problemas intestinales, y pueden debilitar la resistencia del perro frente a otras enfermedades caninas. Vaya al veterinario si nota en su perro tales señales. La tenia, otro parásito frecuente que se transmite por la vía de las pulgas, se presenta en forma de granitos de arroz incrustados en las heces.

Problemas del corazón

En todos los perros son comunes las enfermedades cardiacas, sin embargo, es el problema que más frecuentemente los dueños pasan por alto. Los síntomas incluyen jadeo y respiración entrecortada, tos crónica, especialmente durante la noche o al despertar en la mañana, y cambios en los hábitos de sueño. Los problemas del corazón pueden tratarse si se detectan a tiempo.

Enfermedades renales

Las enfermedades renales pueden también tratarse exitosamente con un diagnóstico temprano. Los perros de siete o más años de edad deben ser anualmente examinados para ver cómo andan sus funciones hepáticas y renales. Si su perro bebe cantidades excesivas de agua, orina con mayor frecuencia y/o lo hace dentro de la casa, no camine, sino corra al veterinario. Los fallos renales pueden tratarse con dietas especiales que reducen la carga de los riñones.

Emergencias caninas

Para poder cuidar a su perro inteligentemente, todo dueño

debe conocer los signos que evidencian una emergencia médica. Muchas agencias caninas, sociedades humanitarias y refugios para animales patrocinan seminarios de primeros auxilios caninos donde los participantes aprenden a reconocer y tratar los signos de las situaciones de emergencia más frecuentes, cómo preparar un botiquín de primeros auxilios, cómo dar RCP (reanimación cardiopulmonar) a

Los perros activos como el Golden juegan duro y también duro y también ¡descansan duro! Esto es normal, pero no lo es si están letárgicos o desinteresados de las actividades.

un perro y muchas cosas más. Aquí la moraleja es: conozca a su Golden. La detección temprana de cualquier problema es vital para su longevidad y calidad de vida.

Los signos de emergencia son, entre otros, vómitos que duren más de un día, diarreas sanguinolentas o prolongadas

(más de 24 horas), fiebre (la temperatura normal de un perro es de 38 °C), inflamación súbita de la cabeza o de cualquier parte del cuerpo (reacción alérgica a la picadura de un insecto u otro estímulo).

Algunos síntomas de otras situaciones más frecuentes de emergencia son:

- *Golpe de calor:* Jadeo excesivo, babeo, pulso acelerado, encías que toman un color rojo oscuro, expresión frenética y vidriosa (la reconocerá cuando la vea).
- *Hipotermia* (perro mojado + frío): Temblores, encías muy pálidas y temperatura corporal por debajo de 37 °C.
- *Shock:* Una pérdida severa de sangre a causa de una herida puede provocar en el perro un estado de shock. Los síntomas son: temblores, pulso débil, debilidad e indiferencia, depresión, y temperatura corporal baja.

Las señales de alarma con relación al cáncer u otros graves problemas de salud incluyen: tumores o hinchazones anormales; heridas que no sanan; pérdida de peso inexplicable o súbita; pérdida de apetito; sangrado o secreción sin motivo aparente; olor corporal desagradable; dificultad al tragar o comer; pérdida de vigor o rechazo al ejercicio; dificultades para respirar, orinar o defecar; apariencia de timpanitis; cojera o rigidez persistentes.

Si percibe alguna de estas señales de alarma llame inmediatamente al veterinario. Muchas enfermedades caninas y algunos tipos de cáncer son tratables si se diagnostican a tiempo.

Acostúmbrese a estar muy al tanto de cualquier sutil cambio en su perro. Lea libros sobre cuidados de salud caninos y sobre primeros auxilios, y añada uno a su biblioteca. Tenga una lista de síntomas y remedios a mano como referencia, cuando sea preciso. También tenga su botiquín y el teléfono del centro de emergencias veterinarias en un lugar conveniente. La vida de su Golden depende de eso.

CUIDADOS DOMÉSTICOS

Resumen

■ Usted es el responsable de la salud de su perro. Su longevidad y calidad de vida integral dependen mucho del cuidado que reciba en casa.

■ Es esencial mantener al Golden en el peso adecuado. La obesidad es muy dañina para los perros y ¡su Golden no se va a poner a dieta él mismo!

■ Entre una visita y otra a la consulta veterinaria, usted es el dentista de su perro.

■ Revise concienzudamente el abundante pelaje del Golden y llegue hasta la piel para comprobar si todo está normal y sano.

■ Revise, sistemáticamente, las orejas, ojos y glándulas anales del perro, y familiarícese con las señales que delatan problemas internos, como los del corazón y los riñones.

■ Infórmese sobre las técnicas de primeros auxilios caninos y sobre los signos de emergencia.

Alimentación del Golden Retriever

Pocos temas caninos confunden más... o son más importantes... que la comida.

Su Golden debe alimentarse con una buena comida apropiada para su edad y estilo de vida. Sólo una comida de calidad superior le proporcionará el balance adecuado de vitaminas, minerales y ácidos grasos que necesita para garantizar la salud de su esqueleto, músculos, piel y pelaje. Las principales empresas productoras de comidas para perros han desarrollado sus fórmulas con controles de calidad estrictos, usando sólo ingredientes valiosos y obteniéndolos de fuentes confiables. Las etiquetas en las bolsas de alimento dan a conocer los ingredientes de cada comida (carne de vaca, pollo, maíz, etc.). Suelen listarse en orden descendente, de acuerdo con el peso o la cantidad en que aparezcan. No le añada sus propios suplementos, «comida para personas» o vitaminas extra. Lo único que con-

El proverbio «Usted es lo que come» también se aplica a los perros. Investigue el tema y pida consejo a los criadores experimentados para que le ayuden a determinar cuál es la mejor dieta para su Golden en cada momento específico de su vida.

seguirá es alterar el balance nutritivo de la comida y con ello podría afectar negativamente el patrón de crecimiento o de mantenimiento de su Golden.

Hoy día, las mejores marcas de alimentos caninos ofrecen fórmulas para cada talla, edad y nivel de actividad. Al igual que pasa con los niños, los cachorros necesitan una dieta diferente a la de los perros adultos. Las nuevas fórmulas de crecimiento contienen proteínas y niveles de grasa apropiados para las razas de diferente tamaño. Las grandes, que experimentan un rápido desarrollo (el Golden), necesitan menos proteínas y grasas durante los primeros meses: es lo adecuado para el desarrollo sano de sus articulaciones. Las razas medianas y las pequeñas tienen requerimientos nutritivos diferentes durante su primer año de crecimiento.

El universo de las buenas comidas caninas dispone de tantas alternativas que llega a confundir incluso a los cinólogos más experimentados. No se deje intimidar por todas esas bolsas de alimentos para perros en los estantes de la tienda. Lea las eti-

La hora de la comida es ¡la hora de la buena conducta! Hay muchas maneras de reforzar el conocimiento que ya tiene el perro de las órdenes básicas, y una de ellas es integrarlas a la rutina diaria, por ejemplo, hacer que se siente disciplinadamente mientras se le sirve el plato de comida.

A usted le agrada que su Golden sea parte de todo lo que usted hace, pero hay un límite. No debe darle comida de la mesa porque lo estimulará a pedir; en cualquier caso, las golosinas «humanas» deben evitarse.

quetas (si no, ¿cómo va a saber lo que contienen?) y llame al número que en ellas aparece para solicitar información. Pregunte al criador de su cachorro y al veterinario qué alimento le recomendarían para su cachorro de Golden. Un conocimiento sólido del universo alimenticio canino le proporcionará los elementos necesarios para ofrecer a su perro la dieta más adecuada para su salud a largo plazo. Si se pro-

Existen muchos tipos de recipientes para el agua y la comida. Pregunte a su veterinario si es beneficioso para el Golden elevarlos del suelo.

pone cambiar la comida que el criador le estaba dando al cachorro pídale un poco para llevarla a casa y mezclarla con la nueva, así lo ayudará a adaptarse.

A las ocho semanas de edad lo mejor es que los cachorros coman tres veces al día. Cerca de las doce semanas se puede

pasar a darles dos comidas diarias. La mayoría de los criadores sugiere mantener las dos comidas por el resto de la vida, con el propósito de favorecer la digestión y prevenir la timpanitis. No se recomienda la dieta a libre demanda, es decir, dejar el plato con comida durante todo el día, porque contribuye a que el perro se vuelva un «picador» ... un poquito ahora, un poquito después. Los perros que se alimentan así también son más propensos a tornarse posesivos con sus platos, un problema de conducta que marca el comienzo de la agresión y protección de aquello que le pertenece. Con las comidas programadas usted tiene la oportunidad de recordar a su Golden que todas las cosas buenas de la vida provienen de usted, su dueño y maestro de cocina.

Las comidas programadas le permiten, además, predecir cuándo el perro va a hacer sus necesidades, lo que facilita la educación básica. Al programar las comidas del cachorro, usted sabe cuánto come y cuándo lo hace, lo que proporciona información valiosa para el control del peso y para reconocer cambios en el apetito.

¿Debe darle comida enlatada o comida seca? Y la seca, ¿se le debe dar con agua o sin ella? La mayoría de los veterinarios recomienda la comida seca porque los gránulos ayudan a limpiar el sarro y las placas de los dientes. Es opcional añadirle agua. Si se trata de un perro tragón, que casi inhala la comida, será mejor rociarle un poco de agua en el plato. Se cree que añadir agua inmediatamente antes de servirla, realza el sabor de la comida sin deteriorar sus benéficas cualidades dentales. Ya sea que su perro se alimente con comida seca o húmeda, siempre debe tener agua disponible, aunque una de las medidas preventivas contra la timpanitis es limitar la ingestión de agua a la hora de las comidas.

Al igual que las personas, los cachorros y los perros adultos tienen apetitos diferentes: algunos comerán hasta dejar relucientes sus platos y pedirán más, mientras que otros comerán un poco y dejarán una parte de la comida sin tocar. Es fácil sobrealimentar a un perro tragón. ¿Quién puede resistirse an-

La timpanitis en el Golden Retriever

Las razas de pecho profundo son propensas a sufrir de un mal conocido como timpanitis, causado por la rápida acumulación de aire y la subsecuente rotación del estómago. El Golden Retriever es una de las razas en riesgo, por eso los dueños deben tomar precauciones para proteger a sus perros de una posible torsión gástrica. He aquí algunos pasos elementales para evitar que su perro trague aire mientras come y que sufra alteraciones en la digestión:

- Compre la mejor comida posible para que sea muy nutritiva y tenga pocos residuos. Analice el granulado dejando caer un gránulo en un vaso de agua. Si se hincha hasta alcanzar cuatro veces su tamaño, busque otra marca.
- No ejercite al perro una hora antes, o después, de las comidas.
- No permita que engulla la comida o el agua. Aliméntelo cuando esté calmado.
- Coloque dentro del plato de comida objetos grandes que el perro no pueda tragar, para evitar que la «aspire» en dos bocados.
- Añada a la comida seca pequeñas cantidades de comida enlatada.

Analice otras medidas preventivas y los síntomas de la timpanitis con su veterinario porque para salvar la vida del perro se necesita tratamiento inmediato.

te los conmovedores ojos del Golden? Sea firme y persevere en lo que es correcto. Los cachorros regordetes podrán ser muy graciosos y todo lo demás, pero el exceso de peso afectará sus articulaciones en crecimiento y se considera que es uno de los factores que favorece el desarrollo de la displasia de codo y de cadera. Los cachorros pasados de peso tienden también a convertirse en adultos obesos, que se cansan con facilidad y que son más susceptibles a padecer otros problemas de salud. Consulte a su criador y a su veteri-

¡Esto sí que es moderación! Usted se dará cuenta de que tiene un perro bien adiestrado cuando vea que se comporta bien icerca de la comida!

nario para que le aconseje cómo ajustar las raciones del cachorro, a medida que crece.

Recuerde siempre que esbeltez es salud y grasa no. Las investigaciones han demostrado que la obesidad es un importan-

te asesino de perros. Así de simple: un perro delgado vive más que uno gordo. Y eso que las cifras no reflejan la calidad de vida del perro esbelto, que puede correr, saltar y jugar sin cargar 4 o 6 kg extra. Como regla, evite dar al suyo las sobras de la mesa. Además de que usted no estaría de acuerdo en estimular en él conductas pedigüeñas, algunas comidas «humanas» como el chocolate, las cebollas, las uvas, las pasas y ciertas nueces son tóxicas para los perros.

Si su Golden adulto está obeso, puede cambiar a una comida «ligera» que tenga menos calorías y más fibra. Las comidas para perros ancianos están formuladas para satisfacer las necesidades de animales menos activos y de mayor edad. Las dietas para perros «que trabajan» contienen mayor cantidad de grasa y proteína para suplir las necesidades de aquellos que compiten en disciplinas deportivas, o llevan vidas muy activas.

Para complicar el dilema en cuanto a la comida canina, existen también comidas crudas para aquellos que prefieren ofrecer a sus perros dietas completamente naturales en lugar de las tradicionales comidas manufacturadas. El debate entre comidas crudas y/o completamente naturales versus comidas elaboradas industrialmente, es agudo. Los que abogan por las comidas naturales afirman que con ellas han curado a sus perros de alergias y otros padecimientos crónicos. Si está interesado en este método alternativo de alimentación, revise los libros que traten el tema y que hayan sido escritos sobre especialistas en nutrición canina. También puede hablarlo con su veterinario, preguntar al criador y navegar en Internet.

Lo esencial es que aquello que da a su perro y la cantidad en que se lo da, son factores decisivos para su salud integral y longevidad. Vale la pena invertir dinero y tiempo extra proporcionándole al Golden la mejor dieta posible.

ALIMENTACIÓN DEL GOLDEN RETRIEVER

Resumen

■ La nutrición adecuada favorece la salud integral del perro, la calidad de su pelaje y el nivel de actividad.

■ Debe alimentar a su pequeño Golden con un excelente alimento formulado para promover el crecimiento sano de los cachorros de razas grandes.

■ Una vez que su Golden alcance la madurez, necesitará una buena fórmula de mantenimiento para razas grandes, sin olvidar que los perros muy activos tienen necesidades nutritivas diferentes de los que hacen menos ejercicio.

■ La frecuencia de las comidas disminuirá a medida que el cachorro crezca. En el caso del Golden adulto, es efectivo darle una comida por la mañana y otra por la tarde.

■ Las comidas programadas le ayudan a conocer el apetito de su perro y, por ende, a detectar cualquier cambio.

■ No intente poner en práctica métodos alternativos de alimentación sin un sólido conocimiento sobre nutrición canina.

Si es usted dueño de un Golden, el acicalado formará parte integral de su vida.

Necesitará implementar un programa de acicalado bien estructurado para mantener sano y bello el pelaje de su Golden y para minimizar las nubes de hebras doradas en su ropa y mobiliario.

Los buenos hábitos de acicalado, establecidos tempranamente en la vida del Golden son tan importantes para su bienestar físico como el ejercicio y la dieta. El acicalado debe ser semanal a lo largo de todo el año. Además de la atención del pelaje, piel, orejas, dientes y uñas, el acicalado incluye la revisión del perro para detectar posibles tumores, quistes, puntos calientes y otras anormalidades que pueden esconderse debajo del manto. También se esconden en él diminutas criaturas, como pulgas y garrapatas, que pueden haberse colado solapadamente. Eso, sin olvidar que

Un manto de oro brillante y un vistoso pañuelo rojo: eso es lo que se llama ¡un apuesto Golden!

la atención manual favorece el establecimiento de un lazo entre dueño y perro.

Todos los perros deberían disfrutar el proceso de acicalado manual; después de todo, lo único que lo supera son las caricias. Con ese propósito, acostumbre a su cachorro al cepillo, al cortaúñas y al cepillo dental desde pequeño. Los perros que no han experimentado estas atenciones desde cachorros, pueden oponerse a ellas cuando tienen más edad… son más grandes…y más aptos para resistirse. El acicalado se convertirá entonces en una desagradable faena, cuando no en una batalla, en lugar de ser un procedimiento que ambos, hombre y perro, puedan disfrutar. La moraleja es: ¡empiece cuando el perro es joven!

Tan pronto como el Golden se haya adaptado a la nueva casa, inaugure el acicalado. Empiece haciendo un poquito todos los días y vaya alargando el tiempo paulatinamente mientras lo masajea suavemente con un cepillo fino, le manosea muy brevemente las patitas, le mira dentro de las orejas y le toca suavemente las encías. Háblele mucho con

Ya sea como baño oficial, para refrescarse en un día veraniego o sólo para llenarla de agua fresca cuando hay calor, una piscina de juguete se convertirá en el oasis particular del Golden dentro del patio. ¡Le encantará!

Si hace del corte de uñas una experiencia apacible para su cachorro de Golden verá cómo, de adulto, se sentará disciplinadamente para recibir los servicios del pedicuro.

un tono estimulante y dulce (¡pero mira qué lindas orejas!) y ofrézcale trocitos de golosinas a lo largo de cada sesión, así pensará que el contacto personal es el preludio de una fiesta. ¡Ah, el poder de la asociación positiva!

El Golden adulto tiene un manto doble de mediana longitud, cuyo pelo interno varía en densidad dependiendo del clima donde se críe el perro. El cepillado regular eliminará el polvo y distribuirá los aceites que mantienen el pelaje limpio y acondicionado. En las estaciones de muda será necesario incrementar la frecuencia del cepillado. Adquiera un buen libro o incluso un vídeo sobre cómo acicalar a las razas de doble manto. Aprenderá los trucos y secretos que le permitirán mantener brillante y sano el pelaje de su perro.

¿Cuán a menudo deberá bañar al Golden? El baño frecuente es muy raras veces necesario y, de hecho, elimina los aceites esenciales que mantienen flexible la piel del perro, y el pelo suave, fulgurante y, lo que es más importante, impermeable. Si lo cepilla regularmente, báñelo cada dos meses, más frecuen-

temente si juega en charcos o se revuelca en cosas que huelen mal (uno de los pasatiempos favoritos del Golden).

Claro que hay momentos en que el baño es necesario. El proceso puede ser un verdadero reto si al perro no le gusta que lo enjabonen, aunque el agua no le molestará para nada. Para minimizar el estrés y el forcejeo durante el baño, acostumbre al cachorro desde pequeño. Imagine lo que sería forcejear con un perro de 30 kg dentro de una tina o en el reducto de la ducha.

Para que no desconfíe de la tina, soborne al cachorro con las usuales recompensas comestibles, o tal vez con algo muy especial, como queso o mantequilla de maní. En el suelo de la tina o de la caseta de la ducha coloque una toalla para que no resbale. Comience colocando al cachorro dentro de la tina seca, y después que esté cómodo, empiece a añadir el agua y a bañarlo poco a poco. Puede que nunca aprenda a disfrutar el baño, pero lo que usted necesita realmente es su cooperación.

Asegúrese de enjuagar completamente el pelaje después de

aplicar y enjabonar con el champú porque si quedan restos de él pueden causar escozor al perro. Para el secado no hay nada mejor que un buen paño de gamuza porque absorbe el agua como si fuera una esponja. Mantenga al perro lejos de las corrientes de aire durante un

parte menos preferida del acicalado y la que más a menudo se descuida. El proceso será más fácil si acostumbramos al cachorro desde pequeño al corte de uñas. A ninguno le gusta, así que lo mejor es empezar cuanto antes. Mientras más espere, menos cooperará él. Intente convertirla en

El Golden Retriever, auténtica belleza natural, es la verdadera combinación de forma y función, porque fusiona el agudo talento para la caza con una belleza impresionante.

buen rato, después del baño y del secado, para evitar que se enfríe. Si necesita limpiarlo y eliminar su olor corporal de manera rápida, los champúes secos resultan útiles.

Las uñas deben cortarse una vez al mes. Ésta es siempre la

una experiencia positiva para que al menos llegue a tolerarla sin mucho forcejeo. Ofrézcale las usuales golosinas para que el cachorro asocie el corte de uñas con premios comestibles.

Puede que al principio tenga que limitarse a cortar una o dos uñas cada vez para evitar un tope de boxeo. Es un buen comienzo. Lo mejor es cortar una puntita de uña más frecuentemente que tratar de cortarla mucho cuando ya esté muy larga. Despunte el extremo de la uña o córtela en la parte curva. Tenga cuidado de no cortar la línea de sangre (el vaso sanguíneo color rosa que corre dentro de la uña) porque duele y tiende a sangrar mucho. Si ocurriese,

blemas. Mi veterinaria examina las orejas de todos los perros que consulta y está consternada por la cantidad de orejas sucias que encuentra y de dueños que admiten no revisar ni limpiar nunca las orejas de sus perros.

Las infecciones de oído son frecuentes en todas las razas de perros, pero algunos Golden son más propensos que otros a padecer infecciones crónicas. Las orejas caídas del Golden pueden

Estos adorables bebés Golden se ven muy consternados en medio de su primer baño en el fregadero de la cocina.

detenenga el sangrado con unas gotas de solución anticoagulante (que puede conseguir en su veterinario), o con polvo o lápiz estíptico. Téngalos a mano: los accidentes ocurren.

Revisar las orejas una vez por semana ahorrará muchos pro

limitar la entrada de aire y, con ello, contribuir a mantener húmedo el canal del oído, donde crece moho, especialmente en los climas húmedos. La limpieza regular, especialmente después de nadar, con una fórmula especial para limpiar oídos que pue de obtener en su veterinario, mantendrán limpias y libres de olores las orejas de su perro. Use una mota o una almohadilla de algodón para limpiar tanto el pabellón de la oreja como los pliegues internos, pero no profundice porque podría dañar el tambor del oído. Los síntomas de infección auricular son, entre otros, rojez y/o inflamación del pabellón de la oreja o del interior de la misma, olor desagradable o secreción serosa, oscura o de olor desagradable. Si su Golden se rasca en la(s) oreja(s)

con la pata, si sacude la cabeza o parece que pierde el equilibrio, vaya enseguida al veterinario.

Los dos errores más frecuentes que cometen los dueños cuando enfrentan una infección auricular es esperar demasiado para buscar tratamiento y fallar en llevar el tratamiento disciplinadamente hasta el final, lo que permite que la infección recurra. Sea diligente cuidando los oídos de su Golden, así le escuchará mejor cuando le ordene: «¡Sal de la basura!»

ACICALADO DEL GOLDEN RETRIEVER

Resumen

■ El acicalado es importante en la vida de todo dueño de Golden, así que lo mejor es acostumbrar al cachorro desde pequeño.

■ El cepillado sistemático es esencial, especialmente durante los dos periodos anuales de muda. Es necesario trabajar bien el pelaje alcanzando el manto interno para evitar que se formen nudos y para librarlo del pelo muerto.

■ El baño muy frecuente destruye la impermeabilidad natural, tan esencial al pelaje del Golden, por eso no se recomienda.

■ El corte de uñas y la limpieza de las orejas son parte también de la rutina de acicalado.

Cómo mantener activo al Golden Retriever

El Golden Retriever original cazaba aves acuáticas en las heladas aguas de Escocia.

Aunque el de nuestros días es más mascota que cazador, retiene aún el entusiasmo y la vitalidad de sus ancestros; por eso, para canalizar toda esa energía, necesita ejercicio y actividades fuertes. Usted, su dueño, se beneficiará también porque un perro bien ejercitado está felizmente cansado y menos inclinado a cometer travesuras para dar salida a la energía acumulada.

Una vez dicho esto, tenga presente que ni el Golden cachorro ni el adulto se proporcionarán a sí mismos el ejercicio adecuado. Uno, o mejor, dos rápidos paseos diarios le ayudarán a mantener en forma y esbelto al Golden, además de estimular su mente con los panoramas y sonidos del vecindario.

Ya sea trotando en la pista de exposición, disfrutando de un paseo con el amo, o corriendo a su lado, la mejor manera de mantener activo al Golden es permitiéndole hacer cosas con la gente que ama.

Paseos

Cuánto tiempo y cuán lejos

lleve de paseo a su Golden está en función de su edad, condición física y nivel energético. Los huesos de un joven Golden son blandos y están en formación, por eso son más susceptibles a dañarse durante el primer año de vida. Debido a ello, los jóvenes no deben ser sometidos a grandes tensiones. Eso quiere decir que, mientras no pasen la edad del riesgo, los paseos deben ser cortos y se deben evitar los juegos y actividades que estimulen los saltos o cualquier otro impacto fuerte en su tren anterior o posterior. Hasta que la estructura corporal no haya madurado, es necesario supervisar los juegos con otros cachorros y con los perros de más edad para evitar luchas y giros. La natación a cualquier edad es un ejercicio excelente, siempre que sea posible.

Cuándo y dónde pasear al perro es tan importante como cuánto. En los días cálidos evite caminar durante el mediodía, salga en las horas más frescas de la mañana o de la tarde. Si es usted un trotador, su Golden ya adulto es el compañero de trote perfecto, siempre que se en-

Aunque cobrador acuático por naturaleza, el Golden necesita que su primer contacto con el agua sea seguro. Una vez que el cachorro se moje las patas, se moverá en el agua ¡como un pez!

Las inapreciables cualidades de lealtad, inteligencia y adiestrabilidad del Golden Retriever, lo convierten en una de las razas más utilizadas y apreciadas para trabajos de servicio y asistencia.

cuentre en buenas condiciones físicas. Trotar sobre el césped o sobre otra superficie suave es más conveniente para los pies y articulaciones del perro. Sólo asegúrese de que su Golden está ya completamente desarrollado, en buenas condiciones, y listo para correr kilómetros.

Los paseos diarios son también un excelente medio de establecer lazos entre dueño y perro. Su Golden esperará ansiosamen-

ma de ejercicios a otro nivel. Planifique salir una vez por semana con su Golden e inscríbase en un cursillo. Puede ser de Obediencia, de Agility… ¡o ambos! Los beneficios de un curso de Obediencia son interminables. Usted tiene una motivación para trabajar con su perro diariamente, a fin de no estar desfasados en la clase semanal. Ambos serán más activos y, por ende, más sanos. Su perro aprenderá los elementos básicos de la Obediencia, se comportará mejor y se convertirá en un ciudadano modelo. Además, descubrirá que usted es realmente ¡el jefe!

Clases de Agility

Las clases para el Circuito de Agility proporcionan una salida aún más saludable a la energía de un Golden activo. Aprenderá a escalar una rampa en forma de A, a correr por dentro de un túnel, a hacer equilibrios sobre un columpio, a saltar hacia y desde una plataforma, a atravesar un aro y a zigzaguear entre una línea de estacas. El entrenamiento de Agility no debe comenzarse hasta que el cachorro

El Golden Retriever vence con facilidad el paso a nivel y los otros obstáculos del Circuito de Agility.

te este momento especial que va a compartir con usted. Como es una criatura de hábitos, saltará de alegría cuando le vea ponerse el abrigo y tomar la correa, o cuando sienta el tintineo de las llaves de la casa o del coche.

Clases de Obediencia

Usted puede llevar el progra-

haya cumplido un año de edad para evitar impactos sobre sus huesos y músculos en crecimiento. El desafío de aprender a sortear los obstáculos del Circuito de Agility, y su éxito al dominar cada uno, harán que usted y su perro se sientan orgullosos ¡de ustedes mismos!

Compitiendo en Obediencia y Agility

Puede ir aún más lejos con estas actividades y participar con su Golden en competiciones de Obediencia y de Agility. Durante todo el año se organizan exposiciones y competencias para todos los niveles. Busque un club o únase a un grupo de entrenamiento. Trabajar con otros aficionados le dotará de incentivo para trabajar sistemáticamente con su perro. Obtenga detalles y establezca contactos visitando los sitios web del club de raza de la FCI o el AKC.

Pruebas de caza y cacerías

¿Qué mejor manera de ejercitar y disfrutar de su Golden que haciendo lo que más gusta a los perros de esta raza… cobrar patos y faisanes? El amor del Golden por la caza de pluma va desde la pasión salvaje hasta el interés moderado, en función de los perros de trabajo que tenga en sus ancestros, pero casi todos los Golden disfrutan el tiempo que pasan trabajando en el campo. Tanto la FCI como el *United Kennel Club* (UKC, Kennel Club Unido) organizan pruebas de trabajo, diseñadas para los cazadores no competitivos que pueden, o no, cazar. El club local de la raza o el de los perros cobradores pueden ponerle en contacto con los grupos que entrenan específicamente para tales eventos. Los reglamentos y regulaciones para las pruebas de caza pueden obtenerse en los sitios web de la FCI y del UKC (www.fci.be y www.ukcdogs.com).

Una sesión de natación seguida de un trote a lo largo de la costa harán que cualquier Golden se sienta en forma y feliz.

Pruebas de campo

De todos los eventos que realizan los perros de caza, las pruebas de campo son los más difíciles y desafiantes. Están hechos para los corazones intrépidos, con el tiempo y el dinero suficientes para competir contra lo mejor de lo mejor. Los Labradores dominan el escenario de las pruebas de campo. Algunos Golden pueden competir contra docenas de Labs que ganan los campeonatos de campo todos los años. Sin embargo, el pedigree aquí es fundamental, así que si aspira a tener éxito en este tipo de competencia suprema, asegúrese de tener un cachorro con credenciales sobresalientes antes de considerar siquiera entrar en el mundo de las pruebas de campo.

Exposiciones de conformación

La conformación es la actividad canina competitiva más popular de todas las razas, y los Golden clasifican dentro de los perros de exposición más populares. Si planifica exhibir al suyo, asegúrese de buscar un cachorro con calidad para exposición y explique sus objetivos al criador. La mayoría de los clubes especializados locales organizan clases de adiestramiento para el ring y pueden ayudar a los novatos a iniciarse en ellas con sus cachorros. Al igual que ocurre con otras competencias, lo mejor es

Volando airosamente a través de la cámara, este Golden salva sin esfuerzo uno de los obstáculos del Circuito de Agility.

empezar con el Golden aún joven para que desarrolle una buena actitud hacia la pista.

Actividad compartida

Dejando a un lado las competencias, el Golden no es nunca tan feliz como cuando comparte con su gente, especialmente con los niños. Él necesita ser parte de las actividades familiares, por lo que participará con entusiasmo en cualquier juego o deporte al aire libre. Si hay un apelativo que le sienta al Golden es el de mejor amigo y acompañante.

Durante la exposición de conformación, los perros son examinados manual y completamente por el juez para comprobar que su estructura es correcta. A este ejemplar le están examinando la boca para ver si tiene la dentadura completa y la correcta mordida de tijera.

CÓMO MANTENER ACTIVO AL GOLDEN RETRIEVER

Resumen

■ Los dueños de Golden tienen muchas opciones para mantener activos a sus versátiles perros. Pero lo que éstos más aprecian son las actividades que comparten con las personas que aman.

■ Sea cuidadoso con la estructura en desarrollo del cachorro; no permita que haga ejercicios fuertes como saltar y armar gran alboroto hasta que pase la edad «peligrosa».

■ Una vez que esté completamente desarrollado y en buena forma, el Golden disfrutará los paseos diarios e incluso los trotes.

■ Los cursos de Obediencia y de Agility pueden llevarse hasta niveles competitivos, donde el Golden tiene el potencial para sobresalir.

■ Los dueños interesados pueden dedicarse a cazar con sus Golden, ya sea por diversión o en competencias de diferentes niveles, dependiendo de cuán seriamente se tomen el asunto.

■ El Golden es un bello perro de exposición de alegre personalidad, lo que hace de él un agradable objeto de contemplación.

El Golden Retriever y el veterinario

Cuando se trata de garantizar una salud «de oro» a este dorado perro, un buen veterinario vale su peso «en oro».

Él no va a ser sólo el médico del cachorro sino su mejor amigo, y el educador del amo en cuanto a cuidados sanitarios. Antes de traerse el cachorro a casa, localice un buen veterinario. Pregunte a los amigos, averigüe en la asociación canina local y con su criador. Un buen veterinario establecerá para su cachorro un programa de cuidados sanitarios a largo plazo y le ayudará a usted a hacerse más proficiente en la tarea de mantenerlo sano.

Cuando el cachorro haya pasado algunos días en la casa, llévelo al veterinario. Muestre al doctor los documentos de salud que el criador le entregó, donde aparecen los datos de las desparasitaciones y vacunaciones. El veterinario le someterá a un reconocimiento físico completo para comprobar que está sano, y diseñará un programa de vacunaciones, de identificación con microchip y de

Su criador le entregará un documento donde constan la salud y las vacunaciones del cachorro, que será el punto de partida del veterinario. Analice con él el programa de vacunación para garantizar que su cachorro esté lo mejor protegido posible.

visitas regulares a la consulta, además de prescribirle las medicinas de rutina. Un buen veterinario será gentil y cariñoso con el nuevo cachorro y hará todo lo posible para que no se asuste ni se sienta intimidado.

Los protocolos de vacunas varían, pero la mayoría de los veterinarios recomienda una serie de tres dosis «combinadas», en intervalos de tres a cuatro semanas. Antes de dejar la casa del criador, su cachorro debe haber recibido su primera dosis.

Las vacunas combinadas varían también y una simple inyección puede contener cinco, seis, siete o, incluso, ocho vacunas al mismo tiempo. Muchos veterinarios consideran que la potencia de vacunas tan polivalentes puede comprometer negativamente el inmaduro sistema inmune del cachorro. Recomiendan menos vacunas de una sola vez e incluso vacunas separadas independientes.

Vacunas

Las vacunas más frecuentemente recomendadas son: moquillo, fatal en el caso de los cachorros; parvovirosis canina, altamente contagiosa y también

Acariciar frecuentemente a su perro, además de servir para mostrarle su amor por él, le permite descubrir quistes, protuberancias y otras anormalidades no visibles.

Comience desde el primer momento el cuidado dental de su cachorro para que crezca con una mordida sana y fuerte, y se acostumbre a tolerar que le toquen la boca.

fatal para cachorros y perros en riesgo; adenovirus canina, altamente contagiosa y de alto riesgo para los cachorros menores de 4 meses de edad; hepatitis canina, altamente contagiosa, y de mucho riesgo para los cachorros. Otras vacunas son la parainfluenza, la leptospirosis, el coronavirus canino, la *Bordetella* (tos de las perreras) y la enfermedad de Lyme. Su veterinario le advertirá si en su área hay riesgo de estas enfermedades no fatales para que inmunice a su cachorro convenientemente.

Las últimas investigaciones sobre el tema sugieren que la vacunación anual puede ser en realidad excesiva y, por ende, responsable de muchos de los problemas de salud que confrontan actualmente nuestros perros. Consciente de ello, la pauta de la Asociación Estadounidense Hospitalaria de Animales (*American Animal Hospital Association:* AAHA) recomienda a veterinarios y dueños que consideren las necesidades individuales de cada perro antes de vacunarlo rutinariamente todos los años. El médico puede hacer pruebas de análisis volumétrico para comprobar el estado de los

anticuerpos, en lugar de vacunar automáticamente contra el parvo o el moquillo.

La vacuna contra la rabia es obligatoria en muchos países. Sin embargo, durante muchos años, la vacuna antirrábica ha estado disponible en dosis de frecuencia anual y trianual. La opción más sabia sería vacunar al perro cada tres años después de la primera vacuna (que se le pone al cachorro un año después del primer ciclo de vacunas). Algunos países, sin embargo, exigen todavía la vacuna anual contra la rabia, y los residentes no tienen alternativas.

Pregunte siempre al veterinario qué vacunas y medicinas está suministrando a su perro en cada visita, y para qué son. Un dueño bien informado está mejor preparado para criar un perro sano. Lleve una libreta o un diario y anote allí todas las informaciones que tengan que ver con la salud del suyo, sobre todo después de cada consulta veterinaria, para que no se le olvide. Créame, se le olvidará.

Filarias

Estos parásitos se propagan

hacia el interior del corazón del perro y finalmente lo matan. La filaria, que se encuentra actualmente muy extendida, se transmite por la picadura de un mosquito. Incluso los perros que no viven al aire libre deben tomar un preventivo contra la filaria, en forma de pastilla, diaria o mensualmente, o en forma de inyección, cada seis meses. El preventivo de la filaria es una medicina adquirible sólo a través del veterinario. Antes de que él le prescriba cualquier medicamento al perro, será necesario someterle a análisis para comprobar la presencia o no del parásito.

Pulgas y garrapatas

Las pulgas y garrapatas son enemigos tradicionales de nuestras mascotas, por lo que es probable que usted se vea obligado a enarbolar la bandera de batalla contra las pulgas en algún momento durante la vida de su Golden. Afortunadamente, hoy existen varias armas poco tóxicas pero efectivas para luchar contra estas plagas.

Padecimientos asociados a las garrapatas como la enfermedad de Lyme *(borreliosis)*, la *ehrlichiosis* y la fiebre punteada de las Montañas Rocosas, se encuentran hoy día en casi cualquier país y pueden afectar también a las personas. Los perros que vivan o visiten áreas donde haya garrapatas, ya sea en la estación correspondiente o durante todo el año, deben estar protegidos.

Cambios sutiles

Entre una visita anual y otra al veterinario, la salud de su Golden está en sus manos. Así que esté al tanto de cualquier cambio en su apariencia o comportamiento. He aquí algunos detalles a tener en cuenta:

¿El perro ha engordado o adelgazado súbitamente? ¿Tiene los dientes limpios y blancos, o necesitan algún tratamiento contra las placas? ¿Está orinando más frecuentemente, o bebiendo más agua de lo usual? ¿Hace fuerza al hacer sus necesidades? ¿Nota algún cambio en su apetito? ¿Parece como si le faltara el aire, está letárgico o demasiado cansado? ¿Ha percibido en él algún tipo de cojera o cualquier otro signo de rigidez en las articulaciones?

Todos estos son signos de serios problemas de salud que debe analizar con su veterinario tan pronto como aparezcan. Estas observaciones se hacen más importantes en el caso de los perros viejos, ya que hasta los más sutiles cambios pueden señalar algo grave.

La esterilización

La esterilización es la mejor póliza de seguro de salud que puede ofrecer a su Golden. Las hembras esterilizadas antes del primer celo (estro) tienen un 90 % menos de riesgo para contraer varios cánceres frecuentes y otros problemas típicamente femeninos. Los machos esterilizados antes de la irrupción de las hormonas masculinas, por lo general antes de los seis meses de edad, disfrutan de muy poco riesgo de desarrollar cáncer prostático y testicular, y otros tumores e infecciones relacionados. Hablando en términos estadísticos, hará una contribución positiva al problema de la superpoblación de mascotas y a la salud a largo plazo de su perro.

EL GOLDEN RETRIEVER Y EL VETERINARIO

Resumen

■ Antes de traer el cachorro a casa localice un buen veterinario y concierte una cita con él para los primeros días.

■ Su veterinario continuará el ciclo de vacunación donde lo dejó el criador. Analícelo con él.

■ El control parasitario implica la protección contra varios tipos de gusanos y parásitos externos, como pulgas y garrapatas.

■ Conozca a su Golden para que pueda reconocer cambios en su conducta que puedan estar indicando problemas de salud.

■ La esterilización de los Golden que no van a participar en exposiciones ni van a ser usados para criar es una buena póliza de seguro de salud porque previene o reduce el riesgo de padecer varios tipos de cáncer y otras enfermedades.